– Pan mówi poważnie?

– Jak najbardziej, szefie – mówię.

– Wie pan, gdybym pana nie znał, pomyślałbym, że pan autentycznie oszalał. Zupełnie jak na filmach: wariaci nie są wcale tacy szaleni, a największy wariat to lekarz psychiatra, tyle że na wolności. Oglądał pan „Lot nad kukułczym gniazdem", z tym, no, jak mu tam, z Nicolsonem?

– Nie – mówię całkiem zbity z tropu.

– Ano właśnie – mówi – ano właśnie... Zaraz, o czym to ja...

Mimo woli chce mi się śmiać. Uwielbia udawać, że coś z nim nie w porządku i chyba sam doskonale się tym bawi, chociaż nikt tak naprawdę nie wie, czy jest to tylko specyficzny dowcip psychiatry i czy na pewno stary panuje nad tym dowcipem do końca. Wszyscy na oddziale zdążyli się już przyzwyczaić do jego dziwactw i tylko studenci na wykładach i seminariach mają z początku ubaw albo mieszane uczucia, szczególnie gdy stary wyjdzie ze swoim ulubionym powiedzonkiem: *jak myśleć, jak myśleć nie można*, złapie się przy tym teatralnym gestem za głowę i zamknie oczy, udając, że właśnie zbiera rozproszone myśli.

Patrzy na mnie badawczo, marszcząc co chwila lewą brew. Wyćwiczył ten grymas do perfekcji. Próbowałem kiedyś naśladować ów grymas przed lustrem, ale okazało się, że nie potrafię aż tak rozsynchronizować brwi. To chyba kwestia długiego ćwiczenia, albo jakaś specyficzna, atawistyczna umiejętność, jak na przykład ruszanie uszami.

– Panie profesorze – mówię żeby przerwać milczenie, które staje się wręcz nieznośne – to oczywiście zależy od pana, chodzi o kilka kwestii, o urlop, o skierowanie, o tajemnicę i wiedzę, jak to jest naprawdę. Proszę pana o pomoc, ponieważ jest pan nie tylko moim szefem, ale chyba jedynym człowiekiem, który może mnie zrozumieć i pomóc.

– Skąd pan wie, że panu pomogę?

– Pisał pan przecież w swoich książkach: „doświadczenie własne, doświadczenie własne"... Pan już wie, a ja...

– Młody człowieku – mówi stary i pochylając się dodaje konfidencjonalnym szeptem – jeżeli pan sobie wyobraża, że ja wszystko wiem, to ja panu odpowiem jak ten, dajmy na to, Sokrates: wiem, że nic nie wiem.

– A LSD – mówię. – A wizje? A insulina?

– Nie musi pan powtarzać cudzych błędów. Myśli pan, że to cokolwiek wyjaśniło? Lubię ludzi bystrych i ciekawych, tylko że co innego jednorazowy eksperyment, a co innego trzy miesiące leżenia w szpitalu. Co chce pan przez to właściwie osiągnąć?

– Chcę wiedzieć o nich to, czego nigdy się nie dowiem ani z książek, ani chodząc po salach w białym fartuchu przez kilka godzin dziennie. Żeby ich lepiej zrozumieć i mieć możliwość ciągłej obserwacji, muszę się stać jednym z nich.

– Na miłość boską, co pan chce zrozumieć?! Trzydzieści lat ich leczę i jeszcze nie rozumiem, zresztą nawet nie próbuję, bo jakbym nagle zaczął ich rozumieć, to by znaczyło, że sam dostałem schizofrenii. Tych drzwi otworzyć nie można. I dobrze, bo gdy rozum śpi, budzą się potwory. Pan wie, kto to powiedział?

– Nie – mówię.

Stary unosi brwi i mierzy mnie zdumionym spojrzeniem.

– Czytać – mówi – czytać trzeba! Nie tylko Bilikiewicza, mnie i Kępińskiego!

– Panie profesorze – mówię, bo zmienił temat i rozmowa utknęła w punkcie wyjścia – to jest jedyna szansa. Skończyłem staż, czegoś już, dzięki panu, zdołałem się nauczyć, a teraz chcę jeśli nie zrozumieć, to przynajmniej bliżej ich poznać. Specjalizacja za pasem, a takie doświadczenie to prawdziwy skarb. Chodzi tylko o trzy miesiące urlopu, miesiąc zaległego, miesiąc z tego roku i miesiąc bezpłatnego. Przecież pan wie, że nie chodzi mi o to, by sobie odpocząć, ale by czegoś się nauczyć.

– No dobrze – mówi i pociera ręką czoło tym swoim gestem *„jak myśleć, jak myśleć nie można"* – powiedzmy, że dostanie pan ten urlop, a bezpłatny załatwi pan sobie w ZOZ-ie. I co dalej?

– Gdyby tak – mówię – zechciał mi pan jeszcze ułatwić sprawę z profesorem Zimińskim, a przy okazji może jakieś oficjalne skierowanie na jego oddział, żeby nikt niczego nie podejrzewał... Chodzi o to, żeby lekarze na jego oddziale myśleli, że jestem autentycznym pacjentem. Chcę być traktowany na równi z chorymi. Będę trochę symulował, to konieczne, ale chodzi o to, żebym po tych trzech miesiącach mógł stamtąd wyjść. Wystarczy, jak pan profesor i profesor Zimiński będziecie wiedzieli o tym eksperymencie, i nikt więcej. Profesor Zimiński wypisze mnie, jak przyjdzie czas, bez szumu i bez rozpoznania, niby że wszystko ze mną w porządku, żeby nie zas... ehm!... tego... żeby nie zapaskudzili mi papierów.

– Logiczne jak na kandydata na schizofrenika – mówi Walas i wpatruje się we mnie w skupieniu. – Przemyślał pan to, widzę, bardzo dokładnie. Oczywiście zdążył się pan zapewne dowiedzieć, że profesor Zimiński to mój przyjaciel i że on też swego czasu prowadził różne karkołomne eksperymenty...

Milknie i nie spuszcza ze mnie wzroku.

– Pomoże mi pan, profesorze? – mówię zaniepokojony jego przedłużającym się milczeniem.

– I co ja mam z panem zrobić? – mówi wzdychając. – No cóż, każdy z nas chciałby wiedzieć, jak to jest, choć w końcu i tak się nie dowiaduje. Kępiński też opisywał swoje wizje po LSD, dał sobie nawet zrobić elektrowstrząsy... Wie pan, panie Andrzeju, to LSD to naprawdę świństwo. Trzeba być szalenie ostrożnym. Z tym nie ma żartów. Pod ścisłym nadzorem, w razie czego detoksykacja... Całkiem bezsensowne doświadczenie. Tym bardziej, że co innego chwilowe halucynacje, a co innego półroczny rzut ciężkiej schizofrenii. Zresztą co my tak naprawdę wiemy o schizofrenii? Ani nie znamy przyczyn, ani mechanizmów, a leczenie to jedna wielka loteria. Wie pan, jak działają elektrowstrząsy?

– Słucham? – mówię i patrzę na niego zdezorientowany. Fakt, myślami byłem gdzie indziej.

– Maleńkie rozkojarzenie, panie kolego? – mówi i uśmiecha się złośliwie. – Pytałem, czy wie pan, jak działają elektrowstrząsy?

– Prąd przepływa przez mózg – recytuję jak wyuczoną lekcję – oddziałowuje na międzymózgowie, powoduje mobilizację wegetatywną...

– No dobrze – wpada mi w słowo – ale jakie to oddziaływanie? Co tam się dzieje konkretnie?

Patrzę na niego niepewnie. O co mu właściwie chodzi?

– Nie wie pan? – uśmiecha się na poły kpiąco, na poły ze smutkiem. – Bo ja też nie wiem. Być może kiedyś chciałem wiedzieć, ale tak odważny jak Kępiński nie byłem. My właściwie niewiele wiemy. I może dobrze, że są tacy, którzy chcą ryzykować. Odważny pan jest, to fakt – westchnął i wbił we mnie ciężkie spojrzenie. – Uważam, panie Andrzeju, że ten pobyt w szpitalu na niewiele się panu zda, ale jeżeli miałaby to być jakaś szansa, to spróbuję...

– ... dziękuję bardzo...

– ... spróbuję porozmawiać z Zimińskim, choć obawiam się, że po takiej rozmowie mógłby wziąć na obserwację i pana, i mnie.

– Jeszcze raz serdecznie dziękuję – mówię. Walas najwyraźniej zgodził się, a o to właśnie mi chodziło. Wszelkie możliwe przeszkody rozwiały się jak dym na wietrze.

– Niech pan nie dziękuje – mówi Walas. – Pierwszy raz spotykam kogoś, kto dziękuje za umieszczenie w szpitalu psychiatrycznym. Zresztą nie wiem, co na to powie profesor Zimiński. A co na to pańska żona?

– Żonę – mówię – udało mi się jakoś przekonać. – Walasa nic przecież nie powinny obchodzić moje stosunki z Marią. Nikt nawet się nie domyśla, że jestem z nią od roku w separacji. Nikomu o tym nie mówiłem, bo i po co? „Ustabilizowana sytuacja rodzinna" – pisałem w podaniu o pracę. Wszyscy to zaakceptowali. Walas też ma z pewnością dosyć tej swojej sześćdziesięcioletniej żony-purchawy, która – jeśli Walas zapomni – przynosi mu kanapki do pracy, co nie przeszkadza mu zamykać się na długie godziny w zaciszu gabinetu z młodziutką Jolą-sekretarką. Jak na mój gust Jola jest głupiutka, ma obwisłe piersi i krzywe nogi, ale widocznie staremu to nie przeszkadza.

– Przekonał pan żonę? – na twarzy Walasa pojawia się zdziwienie zabarwione nutą szacunku.

– Powiedziałem, że trafia mi się okazja wyjazdu na trzymiesięczne stypendium zagraniczne. Już mówiłem: chcę wszystko zachować w ścisłej tajemnicy. Zresztą taki odpoczynek zrobi dobrze i mnie, i mojej żonie.

– Dokładnie tak – rozmarzył się Walas, ale szybko się zmitygował i obrzucił mnie taksującym spojrzeniem. – Pan naprawdę oszalał – na jego ustach wykwitł grymas dezaprobaty, który rychło przerodził się w wylewny uśmiech. – Ale wie pan co? Lubię szaleńców. Skoro pan naprawdę wie, czego chce...

Stary unosi się zza biurka i wyciąga do mnie rękę. Trochę zdziwiony ściskam jego dużą, sękatą dłoń. Nie ma zwyczaju podawania ręki swoim podwładnym, a młodym lekarzom w szczególności. Historycznie uwarunkowany gest: pokazuję ci otwartą dłoń, w której nie mam broni. On zawsze ma jakąś broń. Lubi trzymać ludzi na dystans, choć akurat ja dotąd nie miałem powodów do narzekań na jego oschłość i pozorną nieprzystępność. Wpadłem mu w oko jeszcze na studiach, na wykładach. Dałem mu do zrozumienia, że ciągnie mnie do psychiatrii. Przychodziłem do jego gabinetu po wykładach i gdy nie był akurat zajęty, chętnie odpowiadał na moje pytania i wyjaśniał różne wątpliwości. Oczywiście było w tym trochę mojego wyrachowania. Bardzo trudno było zdać u niego egzamin z psychiatrii. Tak się jednak stało, że początkowe wyrachowanie i udawanie pilnego studenta przerodziły się w autentyczną fascynację. Stary zresztą, jak się przekonałem, uwielbiał uczyć. Miał w sobie żyłkę belfra-pasjonata, choć często okazywało się na egzaminach, że z tych jego naprawdę ciekawych wykładów nikt niczego nie pamięta, mało bowiem kto chciał po studiach skończyć jako lekarz w wariatkowie, a *„przez Walasa trzeba przejść jak przez odrę"* – głosiło studenckie powiedzonko, które ktoś kiedyś wymyślił, a kolejne pokolenia studentów szóstego roku przekazywały sobie wraz z notatkami i różnymi sposobami, jak zachować się na egzaminie u starego, żeby nie wywalił za drzwi od razu. Mnie w każdym razie zaraził autentycznym zainteresowaniem psychiatrią. Ale na egzaminie – żebym nie myślał, że go przechytrzyłem, złapał mnie na jakimś śmiesznym drobiazgu, na który u kogoś innego nawet pewnie by nie zwrócił uwagi. Dał mi wtedy poprawkę, i powiedział, że jeżeli naprawdę chcę być psychiatrą i myślę o tym poważnie, to muszę umieć o wiele więcej niż ci, którzy nauczą się tylko do egzaminu, żeby jakoś – powiedział to dosłownie – *przejść przez Walasa jak* *przez odrę* i potem wszystko zapomnieć. W drugim terminie postawił mi piątkę, co wzbudziło nie lada sensację, bo już trzy z plusem u niego to był nie lada wyczyn, ale oddając mi indeks nie omieszkał zauważyć z przekąsem, że na razie o psychiatrii nie mam zielonego pojęcia, ale jak popracuję kiedyś u niego na oddziale, to będą ze mnie ludzie. No i po studiach przyjął mnie bez zbędnego gadania na staż jako swojego asystenta. Inni, i to nawet z tytułami doktorskimi, zaczęli nawet trochę spiskować, że mam u starego jakieś specjalne przywileje, ale w końcu wszystko jakoś się unormowało, gdy zrozumieli, że bardziej niż oddziałowa polityka i koterie bawi mnie sama praca na oddziale.

A swoją drogą, myślę potrząsając dłonią starego, poszło gładko. Zimiński chyba mu nie odmówi...

– Jakiś pan Majer do pana, szefie – mówi sekretarka uchylając drzwi do gabinetu. Z wnętrza dobiega seria stłamszonych, mało zachęcających pomruków i sekretarka, trzeba przyznać że całkiem ładna, mówi, że pan ordynator prosi.

Popatrzyłem sobie po drodze na szpital. Nowy, olbrzymi, zadbany, nie jak na przykład nasza stara rudera; w holu marmury, palmy, wszystko lśni i świeci, sekretariat zupełnie jak w ekskluzywnym banku, eleganckie mebelki, boazeria na ścianach, komputery, drukarki, ksero, pokaźna biblioteczka, aż dziw bierze, bo nie dość, że cała służba zdrowia biedę klepie, ledwie zipie i strajkuje, tutaj bogactwo aż kłuje w oczy, choć to nie żaden szpital-pomnik tylko – co tu kryć – dom wariatów. Obejrzałem sobie wszystko po drodze i myślałem, że nic mnie już nie zadziwi, ale takiego gabinetu jak ten po prostu się nie spodziewałem. Patrzę: wielki pokój przypominający salę konferencyjną, rzędy miękkich, skórzanych foteli, kilka okrągłych stoliczków, biblioteka aż dech zapiera i aż wierzyć się nie chce, by jeden człowiek mógł to wszystko przeczytać od deski do deski, końcówka komputera, najnowsze pentium, a jakże, palmy, gobeliny, obrazy... Zatkało mnie z wrażenia.

– Proszę bliżej!

Zza olbrzymiego, mahoniowego biurka kiwa na mnie mały, łysy człowieczek. Słowo daję, nie tak wyobrażałem sobie Zimińskiego. Tego Zimińskiego. I ten niesamowity kontrast: jedyny mały akcent w tym wielkim wnętrzu pełnym wielkich sprzętów.

– Słucham, o co chodzi?

Ledwie raczy zwracać na mnie uwagę.

– Jestem Andrzej Majer. Miałem się dziś do pana zgłosić – mówię i milknę w nadziei, że to wszystko wyjaśnia.

– Tak? Proszę mówić. Ja słucham.

Jestem cokolwiek speszony: ma taki zimny, świdrujący wzrok charakterystyczny dla wszystkich chyba starych psychiatrów. Czyżby zapomniał, o co chodzi?

– Ja... W mojej sprawie rozmawiał tutaj, właściwie, pan profesor, znaczy profesor Walas, ja jestem Andrzej Majer, ja jestem...

– Pan się denerwuje? – mówi i patrzy na mnie badawczo. – Niech się pan nie denerwuje. Proszę mówić, ja słucham.

– Ja jestem... – czuję, jak pod ciężarem jego spojrzenia uciekają myśli i tracę resztki opanowania – jestem lekarzem psychiatrą, pracuję w klinice profesora Walasa... ja... chodzi o to, że ja mam tu skierowanie... ja tu mam...

Szukam tego cholernego skierowania w portfelu, ale nie mogę go znaleźć.

– Ja mam tu gdzieś...

Zaczynam przetrząsać kieszenie marynarki i wypada mi na podłogę długopis. Widzę, jak turla się pod jego biurko i tyle go widać. Cholera, myślę, niezły długopis, w wbudowanym zegarkiem...

schylić się i spróbować go poszukać?, co za idiotyzm, skierowania nigdzie nie ma, pal diabli ten długopis, gdybym go teraz zaczął szukać na czworakach, to by mnie chyba tu przyjęli bez żadnego skierowania. Przestaję zerkać pod biurko i nerwowo obmacywać kieszenie. Przenoszę wzrok na Zimińskiego i widzę to jego nieruchome, skupione spojrzenie lekarza usiłującego postawić diagnozę, widzę zmarszczone lekko brwi i czuję, że cokolwiek teraz zrobię czy powiem, będzie mogło być wykorzystane przeciwko mnie. Czuję się śmieszny, a zarazem żałosny i osaczony jego wzrokiem, który z lekarską bezwzględnością analizuje wszystkie moje dotychczasowe potknięcia, wszystkie stany nastroju i umysłu. I nagle twarz Zimińskiego się rozjaśnia, a ściągnięte mocno brwi – rozprostowują.

– Ach – mówi – już sobie przypominam. To pan chciałby się tu rozejrzeć jako pacjent, prawda?

Kiwam głową, a wówczas Zimiński wstaje zza biurka i wyciąga rękę na powitanie.

– Andrzej Majer – przedstawiam się po raz nie wiadomo który i ściskam jego dłoń. – Właśnie, chodzi o umożliwienie pobytu na pańskim oddziale. Chciałbym zebrać trochę materiału do badań... Wie pan, doktorat...

– Tak – mówi – tak, już sobie przypominam. Pan by tu chciał poleżeć... To się może zdarzyć każdemu... Cóż, nikt nie zna dnia ani godziny... – nagle Zimiński macha dłonią i mitygując się dodaje: – No właśnie. Marek, to znaczy profesor Walas coś mi mówił, ale... Chyba nie do końca zrozumiałem, w czym rzecz. Dlaczego pan tych badań nie może przeprowadzić u siebie na oddziale? Bo pan chyba jest lekarzem, tak? – wlepia we mnie przenikliwe, cokolwiek nieufne spojrzenie.

– Jestem lekarzem – zapewniam i wydaje mi się, że Zimiński odetchnął z ulgą – ale w tym właśnie jest cały problem. Nie chcę prowadzić swoich obserwacji jako lekarz. Chcę być traktowany jako pacjent, żeby poznać szpital z punktu widzenia chorych. To oczywiste, że nie mógłbym udawać chorego przed kolegami z oddziału. – Zaraz, chwileczkę – mówi i pociera sobie dłonią czoło prawie tak samo jak Walas w geście „jak myśleć, jak myśleć nie można", zupełnie jak gdyby był to jakiś międzynarodowy gest wszystkich psychiatrów. – Przecież pan jako lekarz i człowiek zdrowy, wszak nie mylę się, pan jest zdrowy? – tu zawiesza głos, aż uznaję za konieczne przytaknąć mu ruchem głowy i dopiero wówczas podejmuje przerwaną wypowiedź – Więc jako człowiek zdrowy nie będzie pan przecież leczony, to przecież jasne, prawda?

– Widzę, że profesor Walas przedstawił moją sprawę niezbyt dokładnie – mówię. – Chodzi mi o to, żeby zachować w tajemnicy także przed personelem medycznym fakt, że jestem psychiatrą i że jestem zdrowy. Chciałbym, żeby wiedziało o tym tylko nas trzech: ja, profesor Walas i pan, panie profesorze. Zależy mi na całkowitej adaptacji w środowisku chorych i na tym, by także personel traktował mnie jako pacjenta. Tylko wtedy obraz sytuacji chorego i jego odczucia będą w miarę rzeczywiste. Krótko mówiąc zależy mi, bym był traktowany jak prawdziwy pacjent, bez żadnego wyróżniania. Jako psychiatra potrafię symulować chorobę, a leki, cóż, po prostu nie będę ich zażywał.

– A tak – mówi Zimiński – rzeczywiście. Tak, tak, pamiętam. Rozmawiałem o tym z Markiem. To było chyba w zeszłym miesiącu, prawda? – spogląda na mnie zupełnie tak, jakby oczekiwał mojego potwierdzenia. Co prawda rozmawiałem na ten temat z Walasem nie dalej jak w zeszłym tygodniu, ale to drobiazg bez znaczenia, toteż ochoczo skinąłem głową przyznając mu rację. – No właśnie. To jakieś badania naukowe, tak? No tak. W takim razie ma pan moją zgodę. Zresztą obiecałem Markowi, że się panem zajmę. Zaraz... ale jak to... nie rozumiem... To znaczy, żeby pana nie leczyć?

Patrzę na niego bezradnie. Mam wrażenie, że przedziela nas jakiś mur. Porozumienie wydaje się całkiem niemożliwe. No i to zdenerwowanie... Mimo woli mój wzrok przenosi się pod biurko. Długopis z zegarkiem... Zresztą pal go diabli. Usiłuję się skoncentrować w poszukiwaniu najprostszych słów wyjaśnienia sensu mojej prośby.

– Widzi pan, profesorze – mówię – jestem zdrowy, jestem lekarzem, ale chcę udawać pacjenta, by poznać świat doznań i środowisko chorych. Nikt nie może wiedzieć, że symuluję i badam świat schizofreników.

– Ach – rozpromienia się nagle Zimiński – teraz rozumiem. Więc zależy panu na tajemnicy?

– Tak – mówię – i chodzi też o to, żeby po trzech miesiącach obserwacji załatwić wypis.

Zimiński uśmiecha się po raz pierwszy.

– Boi się pan, że zostanie pan tu dłużej albo że coś się nam uda odkryć nawet u kolegi po fachu? Bez obaw, pan może być pewien, że wyjdzie za te trzy miesiące.

– Nie wątpię – mówię – ale chciałbym też prosić, żeby to był wypis bez żadnego konkretnego rozpoznania. Będę oczywiście trochę symulował, żeby uzasadnić jakoś swój pobyt w szpitalu, ale proszę pamiętać, że po wyjściu stąd wracam do pracy na oddziale profesora Walasa.

– Proszę się nie martwić – mówi Zimiński – wszystko będzie w porządku, zajmę się tym osobiście. Tylko niech pan nie przesadza z symulowaniem. Szczerze mówiąc pański pomysł wydaje mi się trochę dziwny, mówiłem to zresztą Markowi dwa miesiące temu, no ale w szczegóły nie wnikam. Robię to trochę dla pana, trochę dla mojego kolegi, który ujął się za panem i bardzo pana chwalił, no i wierzę, że te badania coś jednak panu dadzą. Oczywiście będziemy w kontakcie. Zaopiekuję się panem. Może napije się pan kawy?

– Chętnie bym się napił – mówię – ale wie pan, profesorze, sekretarka pewnie pomyślałaby, że to dziwne: najpierw piję z panem kawę, a potem idę na oddział jako pacjent. Chciałbym, żeby nikt niczego się nie domyślał.

– Racja – mówi. – No cóż, więc teraz załatwimy jeszcze parę formalności. Widzę, że pan się uspokoił. Na początku był pan zdenerwowany. Był pan zdenerwowany, prawda?

Kiwam głową, a on jak gdyby nigdy nic schyla się i wyciąga spod biurka mój długopis. Uśmiecham się przepraszająco, chowam długopis do kieszeni, wyciągam portfel i na samym wierzchu dostrzegam złożoną we czworo karteczkę ze skierowaniem...

– Jak się pan nazywa?

Młody lekarz mówi wolno, łagodnie, niemal pieszczotliwie. Jak do dziecka. To mi pochlebia. Widać boi się mnie, bo nie wie, na co stać pacjenta, z którym po raz pierwszy ma do czynienia. Mogę przecież udawać kogo zechcę, byle konsekwentnie trzymać się objawów, a jednocześnie mogę bawić się jego reakcjami, reakcjami niewiele starszego kolegi po fachu.

– Andrzej Majer – mówię.

– Kiedy pan się urodził?

– Dawno – mówię i aż się w duchu śmieję z tego dowcipu. Ale tu każdy najgłupszy nawet dowcip tchnie śmiertelną powagą i uchodzi na sucho.

– Jak dawno?

– Dawno, ale nie aż tak znowu.

– Ma pan, żonę, dzieci?

– Nie.

– Jakie ma pan wykształcenie?

– Wyż... znaczy się średnie. Elektryczne. Elektrykiem jestem.

– Tak? To interesujące. A pamięta pan prawo Ohma?

Usiłuję sobie przypomnieć, natężenie do napięcia, nie, chyba opór do napięcia... Cholera, przecież kiedyś to wszystko było takie oczywiste...

– Pan się denerwuje? Dlaczego pan się denerwuje?

Wyprowadził mnie z równowagi tym idiotycznym pytaniem, ale jak to zauważył? Czyżby coś podejrzewał? Może to, że udaję?

– Wcale się nie denerwuję – mówię i staram się uśmiechnąć, ale uśmiech nie wyszedł zbyt przekonująco i to też natychmiast zauważył: poznałem po jego minie, choć stara się zachować kamienną twarz pokerzysty.

– Jaki dziś dzień?

– Wtorek – mówię bo faktycznie jest wtorek.

– A data?

– Zaraz – mówię i zastanawiam się – siódmy.

– Na pewno?

– Może ósmy.

Sam już nie wiem... Zresztą co za różnica... Zawsze miałem z tym kłopoty. Do tego służy kalendarz albo zegarek.

– A może dziewiąty? – lekarz patrzy na mnie badawczo, trochę jakby z ironią czy pogardą.

– Nie wiem – mówię całkiem już ogłupiały – może i dziewiąty. – I w końcu uświadamiam sobie, że bada u mnie orientację allopsychiczną. Rutynowe badanie. Nigdy nie przypuszczałem, że to takie idiotyczne z pozycji badanego, w dodatku całkiem zdrowego. No ale ja naprawdę nie wiem, który dziś jest.

– A miesiąc? – nie ustępuje. No, tu już przesadza.

– Wrzesień.

– Pan pracuje?

– Nie, mówię, bezrobotny jestem. Na zasiłku.

I nagle uświadamiam sobie, że w książeczce zdrowia jest aktualny stempel ZOZ-u. Nie ma tylko zawodu ani stanowiska. Mogłem przecież powiedzieć, że jestem konserwatorem w szpitalu. Szpitalnym elektrykiem. Co za wpadka!...

– Dlaczego pan się denerwuje?

– Wcale się nie denerwuję, wcale! – mówię porządnie już poirytowany.

– Ręce panu drżą – mówi i wlepia we mnie świdrujący wzrok.

– Dlaczego pan się rozgląda? Czy słyszy pan głosy?

Tak mnie ogłupił, że przez to wszystko zapomniałem, czego się trzymać, żeby dobrze symulować. A swoją drogą on też chyba wypadł z roli, albo, co gorsza, nie zna jej do końca. Lekarz nigdy nie powinien pytać, czy chory słyszy głosy, bo dla niego to nie są żadne głosy, chory tak tego nie określa. Są to słowa i rozkazy przyporządkowane niewidzialnym, ale najczęściej zidentyfikowanym postaciom. Co najwyżej można zapytać: czy słyszy pan głosy osób, których pan nie widzi?

– Mam dużo głosów.

Idiota najwyraźniej się ucieszył. Dostrzegłem na jego twarzy tryumfalny uśmieszek.

– Tak? A jakie to są głosy?

Aż mnie korci, żeby mu coś powiedzieć do słuchu, ale opanowuję się. Ostatecznie jestem tu po to, żeby czegoś się dowiedzieć. Człowiek odpocznie sobie przez jakiś czas, wikt i opierunek darmo, a przy okazji odkrywa lądy nieznane. Ale trzeba być ostrożnym. W razie jakiejkolwiek wpadki kłopoty mieliby oczywiście oprócz mnie i Walas i Zimiński. Byłby skandal. Zimiński niewiele mnie obchodzi, ale Walas nigdy by mi tego nie darował. Mógłbym sobie szukać nowej pracy, a dyplom schować do szuflady.

– To jest taki głos – mówię – co mi każe robić różne rzeczy.

– Na przykład jakie?

– Iść gdzieś albo co...

– Albo co? – lekarz patrzy na mnie z rosnącym zaciekawieniem. Specjalnie nic nie mówię, tylko udaję, że patrzę w jakiś punkt nad jego głową. Czeka, aż się odezwę, ale skoro wciąż milczę, mówi:

– Co te głosy każą panu robić?

– Głosy? – mówię, udając zdziwienie. – Jakie głosy?

– Dlaczego pan przerwał rozmowę?

– A bo myśl mi uciekła – mówię jak prawdziwy schizofrenik – i poczułem w głowie zupełną pustkę.

Ucieszył się po raz drugi i skwapliwie zanotował coś na kartce. Mógłbym przysiąc, że napisał „zatamowanie". Punkt dla mnie. Teraz muszę popracować nad rozkojarzeniem, od czasu do czasu udać, że przysłuchuję się głosom i dodać do tego szczyptę autyzmu, ale nie za dużo, bo faza ma być ostra. Teraz już go mam. Będzie tańczyć, jak mu zagram. Sądząc po jego wyglądzie, to szczeniak, stażysta, pracuje tu najwyżej parę lat. I nagle przychodzi mi do głowy myśl: a jeżeli wszystkich lekarzy też tak łatwo można oszukać? Mało to ludzi ma powody, żeby symulować? A przestępcy? A ci, co chcieliby uciec przed wojskiem? A kombinatorzy, którzy starają się o rentę? Jeżeli ma się jakieś pojęcie o chorobach psychicznych i jest się konsekwentnym w udawaniu, symulować wcale nie jest trudno. A jeśli trafię na oddział, gdzie leżą mordercy, którzy chronią się w szpitalu przed stryczkiem?!

I już do końca rozmowy ta właśnie myśl nie dawała mi spokoju i powracała niczym bumerang. Syndrom Filusia, czyli jak zwieść lekarza, który doszukuje się oznak choroby w każdym słowie, w każdym geście, by postawić trafną diagnozę, bo przecież nie ma czegoś takiego jak „absolutna norma psychiczna". Każdy ma jakieś swoje wariactwo, większe lub mniejsze, a odkrycie na czym ono polega jest tylko kwestią czasu i doświadczenia tego, który bada. Zdrowych z założenia nie ma, tyle tylko, że nie każdego trzeba od razu zamykać.

Prowadzą mnie na oddział. Duża tablica: *Oddział Obserwacyjny*. Drzwi bez klamki otwierane trójkątnym kluczem. Mały korytarzyk, kilkanaście salek, gabinet lekarski, dyżurka pielęgniarek. Po korytarzu snuje się kilku chorych. Jeden z niedorozwojem, dwaj chyba ze schizofrenią. Zastanawiające: coś jednak jest w tym, co pisał Bleuler o pierwszym wrażeniu schizofrenii. Grubawe ciała, szeroko rozstawione oczy bez wyrazu, nieobecny wzrok... Mijam ich, przelotne spojrzenie, i dalej przed siebie.

Salki są trzyosobowe, a nie tak jak u nas kombajny na co najmniej piętnaście łóżek. Prowadzą mnie do tej na końcu korytarza. Pokazują wolne łóżko przy drzwiach. Dwa pozostałe przy oknie są zajęte. Ich lokatorzy, niechlujni mężczyźni o mętnym wejrzeniu, przypatrują mi się nieufnie.

– Tu prądy są – odzywa się jeden nie spuszczając ze mnie wytrzeszczonych oczu. – Uwaga, chronić się trzeba, bo zabiją.

Pielęgniarka, która mnie przyprowadziła, podchodzi do niego.

– Znów są prądy, panie Kowalski?

– Duże prądy – mówi Kowalski. – Dzisiaj to tu była próba napięcia. Myśli chcieli odciągać. Pokumali się z elektryką.

Schizofrenia, myślę sobie, objawy jak na dłoni. Po co trzymają go na obserwacyjnej, skoro wszystko jest jasne?

Ten drugi patrzy na mnie w skupieniu i nie odzywa się. Zmarszczył brwi i porusza ustami, mamrocząc coś pod nosem.

Gdy pielęgniarka wyszła, pokręciłem się trochę na łóżku, a ponieważ na sali nadal nic się nie działo, ten od prądów wciąż tylko się rozglądał, a ten drugi przestał mamrotać i usnął, postanowiłem wstać i rozejrzeć się po tutejszym oddziale.

– Metalowych części nie dotykać – mówi naraz ten od prądów. – Łóżka i klamki są pod napięciem.

Wzruszam ramionami i wychodzę na korytarz.

Po korytarzu niestrudzenie snują się ci sami chorzy co przedtem. Przemierzają niewielką przestrzeń tam i z powrotem w sobie tylko wiadomym celu. Nie wydają się być zainteresowani czymkolwiek, co nie jest integralną częścią ich wewnętrznego, ukrytego przed innymi świata. Autyzm, konotuję sobie w pamięci. Wiem, że jakakolwiek próba rozmowy z nimi spełzłaby na niczym. Klasyczni *otępieńcy* jak zwykliśmy nazywać ich na oddziale.

Zaglądam do mijanych po drodze trzyosobowych salek. *„ Trójkami do nieba szli..."* – przypomina mi się fragment jakiegoś wiersza jeszcze z czasów szkolnych, gdy widzę chorego, który siedzi na łóżku i wykrzykuje, że jest Chrystusem, Synem Bożym. Oczy ich wszystkich są albo nieobecne, albo natchnione mistycyzmem. Dopiero teraz to widzę. Nie, to nie tak; widziałem to od dawna, odkąd zacząłem pracować w szpitalu, ale teraz zacząłem to po prostu dostrzegać. Błąd, myślę, zaczynam w zwykłym, najnormalniejszym w świecie wariactwie widzieć jakąś poetykę, i to ledwie tu trafiłem. Co się właściwie zmieniło? Prawie nic. Jak dawniej chodzę po korytarzu, widzę chorych, których widziałem dotąd setki, tyle tylko że nie muszę spieszyć się na obchód, rozmawiać z nimi z pozycji lekarza i odwalać papierkowej roboty. Mogę teraz spokojnie im się przyglądać. Bez fascynacji jak ktoś, kto widzi ich po raz pierwszy w życiu ale jak lekarz na dobrowolnym urlopie, lecz mimo to ciągle lekarz. Tak właśnie myślę, ale z niewiadomych powodów nie trafia mi to do przekonania. Coś się zmieniło. Teraz jestem jednym z nich i wcale nie pomaga świadomość, że tak naprawdę wcale jednym z nich nie jestem. A może po prostu mam więcej czasu na przemyślenia i obserwacje i za bardzo wczuwam się w sytuację albo co gorsza usiłuję wczuwać się na siłę?

Zaglądam przez uchylone drzwi do dyżurki pielęgniarek.

– Co tu?! – mówi jedna, podchodzi do drzwi i zatrzaskuje mi je przed nosem. Wzbiera we mnie gniew, to przecież nie do pomyślenia, by tak traktować pacjentów, a lekarza w szczególności, odruchowo łapię za klamkę i... – tak – głęboki oddech, i aż się uśmiecham pod nosem na myśl, jak bardzo nie nadaję się na pacjenta w szpitalu dla umysłowo chorych. Gdyby to się stało na moim oddziale, dziewczyna najzwyczajniej w świecie wyleciałaby z pracy. Dyscyplinarnie.

– A pan tu nowy, tak?

Młoda czarnulka uśmiechając się, kładzie mi dłoń na ramieniu. Młodziutka, ładna, oczy jak węgielki, zadarty nosek. Traktuje mnie nie jak obcego mężczyznę, wobec którego pewnie nigdy nie pozwoliłaby sobie na taki gest, ale jak biednego chorego, który jest zaprzątnięty wyłącznie sobą i swoimi chorymi myślami. No cóż, mam, czego chciałem, ze wszelkimi tego konsekwencjami.

– Tak – zaciskam zęby.

– Nie może pan trafić na swoją salę?

Trzeba udawać chorego. Konsekwencja przede wszystkim. Przecież każda z nich ma obowiązek pisać raporty: co się wydarzyło, co kto mówił, jak się zachowywał... Muszę posiedzieć tu tydzień albo dwa, muszę się rozejrzeć, porobić notatki.

– Nie wiem, gdzie mam leżeć – mówię – nic nie wiem, tu jest dziwnie...

Czarnulka zagląda do dyżurki pielęgniarek.

– Nowy pacjent gdzie ma leżeć?

– Ten, co go dopiero przywieźli? – mówi ta, która przed chwilą zatrzasnęła przede mną drzwi. – A o co chodzi?

– Chodzi po korytarzu. Zabłądził.

– Ma być na siódemce.

– Słyszał pan? – mówi do mnie czarnulka. – Pójdziemy teraz na salę i położymy się do łóżka. Pan leży na siódemce.

Kiwam głową, że rozumiem. Daję się prowadzić jak baran na rzeź i czuję ciepło jej dłoni na przegubie swojej ręki. Pogodziłem się z tą niecodzienną sytuacją, choć ciągle chce mi się śmiać. Gdyby ona wiedziała kim jestem i co tu robię naprawdę!..

Dyskretnie wciągam w nozdrza łagodny zapach perfum idącej obok mnie kobiety i myślę o Marii. O pięciu straconych latach, o próbie samo oszukiwania się, czy też o braku odwagi, by to wreszcie przerwać. *Niewidzące oczy dwojga obcych ludzi wpatrzonych w szczegóły świata własnych myśli.* Tak kiedyś powiedziała o nas i sam nie wiem, czemu zapamiętałem to tak dokładnie. Może dlatego, że trafiła w samo sedno. Siliła się na pisanie wierszy, ale lepsza z niej była księgowa niż poetka. Dwa sposoby na życie, które nie mogły iść w parze. Jej drobiazgowość, skrupulatność i przywiązanie do przyziemnych konkretów uniemożliwiały nam jakiekolwiek porozumienie. To był mur nie do przejścia. Okazaliśmy się dwojgiem całkiem obcych sobie ludzi, choć na początku wydawało się, że jest inaczej, że jesteśmy dla siebie stworzeni, że... Ile razy od początku świata i do jego końca powtarzał się i powtarzać się będzie ten ograny schemat? I czy teraz, gdy już sprawdziłem na własnej skórze, jak ulotne są wielkie słowa i jak puste są wszelkie obietnice, nie powinienem pozbyć się złudzeń? Patrzę na krągłe pośladki i fartuch opięty na biuście młodej dziewczyny, oczywiście zdążyłem już dostrzec, że nie nosi obrączki, a przecież cóż innego niż Maria mogłaby mi zaoferować taka na przykład pielęgniareczka? Chwilowe odprężenie, zadowolenie ze spełnionego seksu, przyjemność z posiadania kobiety, której się pożąda, być może jakieś złudzenia. Ale co jeszcze, co jeszcze?

Po obiedzie, kawałeczek gumowatego mięsa, garstka niedotłuczonych ziemniaków i trochę buraków, postanowiłem porozmawiać z chorymi. Wydawało mi się przedtem, zanim tu wreszcie trafiłem, że ochoczo zabiorę się do zgłębiania tajników szpitalnego życia, że będę miał mnóstwo materiału do badań, do których wezmę się z wielkim zapałem, a tymczasem zapał gdzieś się ulotnił. Ledwie minęło parę godzin, a już ogarnęła mnie jakaś niewytłumaczalna ociężałość i apatia. Może za dużo było dziś wrażeń? A może to ta atmosfera oczekiwania nie wiadomo na co, wypełniona milczeniem moich współtowarzyszy z pokoju? Patrzę na nich: drzemią. Nic dziwnego. Po takich dawkach leków najwięksi furiaci są spokojni jak baranki albo po prostu śpią.

Wstaję i wychodzę z sali. Korytarz tym razem jest pusty. Wchodzić do innych sal i wypytywać pacjentów byłoby trochę niezręcznie. Poobiednia cisza. Znam to doskonale. Obchód z rana, leki zaordynowane, wszystkie zabiegi zrobione, co ważniejsi lekarze poumykali do domów i co najwyżej stażyści popijają herbatę w gabinecie, żeby się w razie czego nazywało, że wszyscy pracują do piętnastej. Aby do dyżuru, do trzeciej. Przyjdzie zmiennik, obejrzy telewizję, poczyta gazetę, dla przyzwoitości zrobi krótki wieczorny obchód i jeśli będzie miał trochę szczęścia, prześpi całą noc. Szpitalne życie zaczyna się o ósmej rano, a kończy około południa, więc dlaczego akurat tu miało by być inaczej?

Snuję się po pustym korytarzu, nie mogąc znaleźć sobie miejsca. Energia i chęć działania, które właśnie powróciły, rozpierają mnie ze zdwojoną siłą. Nie jestem przyzwyczajony do bezczynności. Trudno tak po prostu położyć się na łóżku i leżeć. Nie wiedziałem, że oddziały tutaj są aż tak małe, i że panuje tu taki spokój. Dla chorych to może i lepiej, ale na pewno nie dla mnie – myślę i aż uśmiecham się pod nosem do innej jeszcze myśli: a kto mógł przewidzieć, że w takim szpitalu będą leżeli ludzie zdrowi?

– No i co ci tak wesoło, Kaziu?

24

Odwracam się gwałtownie. Naprzeciwko, oparty o ścianę, stoi rosły pielęgniarz w niebieskawym fartuchu. Rusza potężnymi szczękami, widocznie żuje gumę, i założywszy grube łapska na piersi, przygląda mi się ironicznie. Musi tak stać i patrzyć od dobrej chwili. Ciekawe, że dotąd go nie zauważyłem!...

Gdy mija pierwszy odruch zaskoczenia, czuję narastającą falę wściekłości. Za kogo się ten pielęgniarz uważa?!

– Nowy jesteś, tak? To zapamiętaj sobie, że tu się nie rozrabia.

Nawet do schizofrenika dotarłaby oczywista przewaga jego siły, a tym bardziej dociera do mnie. Z żalem myślę o tarczy ochronnej, jaką jest biały, lekarski fartuch. Wyobrażam sobie, co bym zrobił, gdybym przyłapał któregoś z naszych pielęgniarzy na takim zachowaniu w stosunku do chorego. Meldunek do szefa i dyscyplinarka. Ale przecież nie mam na sobie fartucha...

Pielęgniarz, jakby zrozumiał, że uznaję jego władzę i mam zamiar dostosować się do jego życzenia utrzymania ładu i porządku, kiwa głową i dodaje nie znoszącym sprzeciwu tonem:

– Jazda na swoją salę!

Pomyślałem że ostatecznie jako chory psychicznie, mógłbym powiedzieć mu coś do słuchu, ale zaraz potem uświadomiłem sobie, że to kiepski pomysł. On nie zawahałby się przed udowodnieniem, że silniejszy zawsze ma rację.

– Ile razy mam powtarzać?! – huknął.

Wróciłem na salę. A ponieważ moi współlokatorzy spali, położyłem się i ja. Sam nie wiem, kiedy zmorzył mnie sen...

– Jak się pan czuje?

Mrugam powiekami, usiłując pozbyć się resztek snu. Śniło mi się, że... Zaraz!... Szpital. Leżę na sali. Udaję chorego. Mam odpowiadać na pytania jak pacjent...

Widzę pochyloną nade mną twarz kobiety. Pięknej kobiety. Doskonale pięknej. Nie, już nie śpię. A może to jednak sen? Śniło mi się, że...

– Pan dziś do nas przyszedł?

Zachłannie wpatruję się w pochyloną nade mną twarz lekarki. Te oczy... te usta... Doskonała harmonia. Kogoś mi przypomina... Barbara. Królowa win. Pozowała w tej idiotycznej telewizyjnej reklamówce. Przypomina Barbarę. Jakaż ona jest do niej podobna... O coś pytała. Tylko nie wiem o co. Trzeba jej odpowiedzieć. Ale jak? I nawet głos ma podobny...

– Tak – mówię na wszelki wypadek, cokolwiek by to miało oznaczać.

– Jak się pan teraz czuje?

– Bardzo dobrze – mówię trochę bez sensu, ale w chwilę potem uświadamiam sobie, że tak właśnie mówić trzeba. Mam przecież udawać schizofrenika. Schizofrenik czuje się dobrze, bo nie ma poczucia choroby. Trzeba konsekwentnie symulować objawy osiowe.

– Jak się pan nazywa?

– Majer. Andrzej Majer.

Gdyby nie ta idiotyczna sytuacja, pewnie wszystko odbywałoby się inaczej. Wedle innego scenariusza. Jak w dobrej bajce z happy-endem. Długowłosa blondynka. Naturalna, to widać. Okulary w jasnej oprawie. Te same zielone oczy. Basia. Weinkoenigin Simona. Weingut, probieren. Za te marki kupiła sobie samochód, używanego mercedesa. Mówiła, że teraz będzie inaczej. Że dostała ciekawe propozycje od Niemców. I że jak skończę medycynę, a byłem wówczas na drugim roku, mógłbym nostryfikować dyplom i przeprowadzić się na stałe. Zarabiać prawdziwe pieniądze. Tam lekarz to jest ktoś, mówiła. Modelka też. Na razie reklamówka, ale już ma propozycje. A tydzień potem, w tym przeklętym mercedesie, którego jeszcze nie umiała dobrze prowadzić... I może właśnie dlatego nie udało się z Marią, a przed nią z innymi...

– Jak pani na imię? – pytam ni stąd ni zowąd.

– Dlaczego pan pyta?

– Pani jest... – zaczynam, ale na szczęście gryzę się w język. Już lepiej nic nie mówić...

– Barbara – mówi – jeżeli to ma jakieś znaczenie. A teraz – zagląda w kartę wiszącą na łóżku – panie Andrzeju, proszę mi powiedzieć, czy pana coś nie boli? Jak się pan czuje?

– Nie, nic nie boli, wszystko w porządku.

– Nie boi się pan czegoś?

– Tak, czuję w sobie taki jakiś niepokój.

Fatalna sytuacja. Akurat w jej oczach chciałbym uchodzić za zdrowego, ale przecież trzeba być konsekwentnym. Jeśli już symulować to do końca i przed wszystkimi. Albo chcę prowadzić ten swój eksperyment, albo... Zresztą nie ma odwrotu. Co za ironia losu, że spotykam ją akurat tutaj i w takiej sytuacji!..

– Czy pani pisze wiersze?

Nie wiem, dlaczego mi się to wyrwało. Może to otoczenie tak na mnie działa, że najnormalniej w świecie wariuję?

Lekarka patrzy na mnie zdezorientowana, zaskoczona, ale szybko się opanowuje.

– Damy panu coś na uspokojenie, a gdyby coś się działo, proszę mnie zawiadomić.

– Pani doktor, pani doktor!..

To ten spod okna, od prądów. Lekarka, Basia, co za dziwny zbieg okoliczności, takie podobieństwo i nawet to samo imię, podchodzi do niego.

– Pani doktor – mówi tamten – trzeba coś zrobić, trzeba szybko coś zrobić.

– Co się dzieje, panie Kowalski?

– Zabierzcie stąd tego nowego, szybko go zabierzcie!

Lekarka patrzy niepewnie to na niego, to na mnie.

– To przecież taki sam pacjent jak pan. Dlaczego on panu przeszkadza?

– Nie, nie, tu chodzi o to, że prąd gęstnieje, czuję to! Tu na tej sali są straszne prądy! Ja jestem przyzwyczajony, Nowakowski też, zresztą on jest psychicznie bardzo chory i nic nie czuje, ale nowego te prądy mogą zabić! Zabierzcie go stąd! Szybko go stąd zabierzcie, zanim go porazi.

– Dobrze – mówi lekarka – dobrze. Zastanowimy się nad tym. Zapytamy pana Andrzeja, czy mu te prądy będą przeszkadzały. Zaraz dostanie pan tabletki.

– Dziękuję bardzo, pani doktor – mówi tamten.

Basia podchodzi do tego drugiego. Obudził się właśnie i zmarszczywszy brwi, wlepia w nią wrogie spojrzenie. Lekarka przygląda mu się przez chwilę z dystansu.

– Spokojny był, pani doktor – mówi usłużnie ten od prądów, jakże mu tam? Kowalski.

– No to dobrze – mówi lekarka i wychodzi.

Postanowiłem porozmawiać z Kowalskim. Jest bardzo syntoniczny, skoro tak się martwi, żeby te jego prądy nie zrobiły mi krzywdy, a przy tym wydaje się być w miarę logiczny oczywiście jak na schizofrenika. Wstaję i podchodzę do jego łóżka. Na mój widok podnosi się z poduszek najwyraźniej zaniepokojony.

– Na co pan jest chory?

Patrzy na mnie nieufnie i milczy. Na jego twarzy widać skupienie i napięcie. Boi się.

– Proszę się nie obawiać. Chcę tylko porozmawiać.

– Z elektrowni? – mówi Kowalski.

– Słucham?

– Pan z elektrowni, tak?

– Nie – mówię.

– Niech pan wyłączy te prądy, słyszy pan?.

– Ja... – zaczynam, ale w tej samej chwili Kowalski zrywa się z łóżka, odpycha mnie z całej siły, aż ląduję na przeciwległej ścianie i wybiega na korytarz, wrzeszcząc co sił w płucach:

– Z elektrowni są! Z elektrowni! Ratunku!! Ra!...

Na korytarzu słychać odgłosy szamotaniny, kilka stęknięć, a potem odgłos kroków i oto na salę wkracza pielęgniarz, gruby osiłek, a razem z nim, chcąc nie chcąc, bo i tak nie ma wyboru, osiłek założył mu podwójnego nelsona – wlecze się Kowalski.

Pielęgniarz pakuje go do łóżka i choć Kowalski na mój widok znów usiłuje się wyrywać, przytrzymuje go, nie pozwalając wstać. Chwilę potem na salę wchodzi pielęgniarka ze strzykawką i tacką z lekami. Kowalski, mimo protestów, dostaje szprycę i prawie od razu się uspokaja, drugi zastrzyk dostaje jego sąsiad spod okna, a ja – tabletki i trochę wody do popicia. Nieźle, myślę sobie, łatwo będzie wypluć. Biorę swoją porcję do ust, pakuję tabletki pod język, popijam i uśmiecham się na znak, że zażyłem wszystko ładnie i do końca. Siostra, starsza już kobieta, wydaje się usatysfakcjonowana, ale gruby pielęgniarz chyba nie. Wietrząc pewnie jakiś podstęp, przygląda mi się nieufnie.

– Otwórz no buzię, bracie – mówi.

Rad nierad, otwieram szeroko usta. Na szczęście tabletki schowane są głęboko pod językiem. Gruby jednak nie daje się zwieść. Bezceremonialnie pakuje mi do ust trzonek łyżki, którą pochwycił naprędce z mojej szafki, siłą odchyla mi język i kiwa głową.

– Tak myślałem – patrzy porozumiewawczo na siostrę. – Chciałeś oszukać panią doktor, która dała ci dobre tabletki? Stary numer, ale dobrze znany. No, koleś, wypluj, teraz już możesz się nie krępować. No wypluj! – i podstawia mi dłoń.

Jedyne, co mogę, to wypluć mu tabletki na rękę, razem ze śliną. Drobna satysfakcja: to prawie tak, jakbym go opluł. Ale on nic sobie z tego nie robi. Wkłada wyplute tabletki z powrotem do mojego kieliszka i podaje pielęgniarce.

– Niech pani to rozetrze!

– Dobrze, panie oddziałowy.

Ładne rzeczy, myślę sobie, nie dość, że facet zachowuje się jak pan i władca tego oddziału, to jest nim w rzeczywistości, jako przełożony pielęgniarek.

Siostra rozgniata między dwiema łyżkami wyplute przeze mnie tabletki, zalewa wodą i podaje pielęgniarzowi.

– Pijemy – mówi drab i uśmiecha się obleśnie. – Za mamusię i za tatusia. No śmiało, to dobre tabletki, pani doktor chce cię wyleczyć. No pij – mówi zniecierpliwiony i widząc że wciąż się waham ryknął: – Pijesz, czy mam ci przypierdolić?!

– Panie Wacławie... – mówi siostra z lekką naganą w głosie.

Chyba jednak lepiej wypić, myślę, najwyżej potem jakoś to zwymiotuję. Biorę od niego ten przeklęty kieliszek i wypijam zawartość. Cholera!... brrr!... jakie to niedobre!..

– W porządku – oddziałowy i uśmiecha się z satysfakcją. – Na każdego jest metoda. Jak by co, proszę mnie wołać, pani Jadziu.

Oddziałowy, ze sto dwadzieścia kilo żywej wagi, uśmiecha się znacząco i wychodzi.

O Boże, połknąłem te świństwa, co teraz będzie, co będzie?! Niech już ta siostra sobie idzie, muszę zwymiotować te świństwa!

Pielęgniarka zabiera pusty kieliszek, patrzy na mnie ze współczuciem i uśmiecha się jakby przepraszająco.

– Niech się pan tak bardzo pana Wacka nie boi, on nie jest taki zły, ale bardzo nie lubi, jak pacjenci nie przyjmują lekarstw.

Długo wstrzymywana agresja musiała w końcu znaleźć ujście. Skrupiło się na siostrze, która nie mogła odparować ataku.

– Nic ci do tego! Jazda stąd, do cholery!

Niepojęta jest siła skumulowanej agresji. Poniewczasie czuję się zażenowany. Po co to było? I czemu miało służyć?... Pielęgniarka tymczasem reaguje odruchem samozachowawczym.

– Panie Wacku – krzyczy przerażona. – Panie Wacku!

Tupot drewniaków po posadzce korytarza i oto na salę wpada gruby osiłek.

– Tak? – mówi.

– Pan – siostra wskazuje na mnie – jest niespokojny. O coś mu chodzi. Jest agresywny. Bluźni.

– No, kolego – oddziałowy nachyla się nade mną – nieładnie. Panowie doktorzy będą wiedzieli, że sprawiasz kłopoty.

Aż mnie krew zalewa, ale opanowuję się, bo co robić, jak nic zrobić nie można... Z przerażeniem myślę, że czas biegnie, a sproszkowane tabletki wchłaniają się błyskawicznie. Niepotrzebnie jej naubliżałem. Będą tu teraz stać nade mną, a tymczasem tabletki rozłożą mnie na amen i nawet nie wiem, co mi dali. Zrozumiałem, że tu rządzi prawo dżungli. Silniejszy zwycięża, a wobec osiłka nie mam żadnych szans. Dobrze by było nawet mu się postawić, ostatecznie znalazło by się to w raporcie, który ma obowiązek nadzorować, ale z drugiej strony, zanim napisałby o tym w raporcie, pewnie zdążyłby mnie porządnie poturbować.

Czuję, jak do głowy uderza mi fala gorąca, a potem dla odmiany wstrząsa mną dreszcz i zaczynam słabnąć. Dźwięki, które do mnie docierają, stają się jakby przygłuszone. Mam wrażenie, jakby ktoś zapakował mnie do szklanego słoja. Wszystko staje się odległe, na wpół realne. Za późno, myślę z przerażeniem, te świństwa zaczęły działać... Co robić, co robić, jak nic już zrobić nie można... Patrzę półprzytomnie na moich prześladowców. Stoją nade mną i ani myślą iść.

– Bądź grzeczny dla pani siostry – mówi osiłek – i dla nas wszystkich, a zobaczysz, że dobrze na tym wyjdziesz – i grozi mi potężnym paluchem.

A więc tak utrzymuje się ład i porządek, myślę, metoda kija bez marchewki. I słusznie, bo jak inaczej poradzić sobie z niesfornymi pacjentami? Ależ mi gorąco... I tak jakoś dziwnie... Ciekawe, jak sobie radzą na naszym oddziale? A swoją drogą ten cały Wacek musi chyba być sadystą. Jak on tego Kowalskiego... pod gardło go... Co się ze mną dzieje... tak mi się dziwnie... stoją i patrzą... oni mi... jak myśleć... myśleć nie można... nie myśleć... nie... co oni mi...

Budzi mnie straszliwa suchość w ustach. Na sali panuje półmrok i tylko mała lampka zamontowana w ścianie mży słabym, bladożółtym światłem. Głowa boli tak, jakbym poprzedniego dnia opił się wódki. Jestem senny, ociężały, ale na próżno usiłuję z powrotem zasnąć: ten piekielny ból i szorstki język przylepiony do rozpalonego podniebienia... Reakcja uboczna. To musiała być końska dawka relanium i pewnie czegoś jeszcze. Normalna rzecz na psychiatrii...

Usiłuję zwlec się z łóżka, ale ciało wydaje się być z gumy. Mięśnie są słabe i wiotkie. Na domiar złego zakręciło mi się w głowie, i anim się spostrzegł, wylądowałem na podłodze. Narobiłem strasznego huku i nabiłem sobie guza.

– Mordują!!! Mordują!!!

To rozbudzony Kowalski.

– Cholera... – wystękałem i do reszty opadłem z sił.

Na korytarzu rozległ się odgłos kroków i po chwili na salę wbiegła pielęgniarka. Poraziło mnie światło zapalonej znienacka lampy.

– Co się tu dzieje?!

– Siostro, siostro – mówi Kowalski – przyszli po mnie z elektrowni, myśli będą odciągać prądami, niech mnie siostra ratuje...

Pielęgniarka pochyla się nade mną.

– Co się stało? Co pan tu robi? Natychmiast do łóżka!

Chwyta mnie pod ręce i pomaga wstać, a właściwie, ponieważ całkiem opadłem z sił, stara się podnieść mnie z podłogi, ale jestem dla niej zbyt ciężki.

– No wstaje pan, do cholery, czy nie?!

Zbieram się w sobie i nie zważając na piekielny ból głowy i potłuczenia, jakoś wreszcie staję na nogi. Pielęgniarka pomaga mi dowlec się do łóżka i ułożyć na pościeli.

– Jak pan będzie wyprawiał takie harce, to pójdzie pan w pasy – mówi siostra, ziewa szeroko i posyła mi nienawistne spojrzenie. Widocznie musiałem ją obudzić.

– Z elektrowni... z elektrowni... – mamrocze Kowalski zapadając powoli w sen.

– Która godzina? – pytam siostrę.

– Noc. Trzeba spać.

– Nie mogę.

– Dobrze, dam coś na sen.

– Nie, nie! – mówię przerażony – Nie potrzeba, zaraz zasnę! Czy mogę dostać trochę wody?

Pielęgniarka patrzy na mnie z powątpiewaniem, już otwiera usta, żeby coś powiedzieć, ale nic nie mówi, odwraca się i wychodzi, a po chwili przynosi mi kubek z wodą. Wypijam łapczywie do ostatniej kropli i czuję się o wiele lepiej. Co prawda głowa boli jak bolała, dokucza też świeżo nabity guz, spora śliwka na czole, ale przynajmniej już tak nie pali w ustach.

– Teraz spać – mówi siostra i wychodzi.

Rozłożyły mnie te tabletki, nie ma co!... Trzeba lepiej udawać połykanie, żeby się nie domyślili i nie rozcierali. Albo żeby co gorsza nie robili zastrzyków. Jeszcze jedna taka dawka, a naprawdę mnie wykończą. Nie myślałem, że to jest aż tak... Wiadomo, skutki uboczne są różne, ale co innego opisy w książkach, a co innego sprawdzić na własnej skórze. Skoro to pomaga, chorzy muszą brać leki niezależnie od późniejszych konsekwencji, ale nikt nie przewidział, że psychotropami będzie się faszerować zdrowego. A swoją drogą ci różni symulanci, pacyfiści, przestępcy, kombinatorzy z rentą mają naprawdę ciężkie życie...

Szpitalne życie, tak jak słusznie przewidywałem, zaczęło się dopiero rano. Noc była spokojna, w końcu udało mi się jakoś zasnąć, a że relanium i te inne świństwa wciąż pewnie działały, spałem jak kamień i nawet jeśli coś się wokół działo, nic do mnie nie dotarło.

Już o szóstej zaczął się ruch. Termometry, bieganina po korytarzu, jakieś krzyki, śmiechy, polecenia i znów bieganina. Potem śniadanie, wyjątkowo podłe: podstarzały chleb, masła jak na lekarstwo, nieosolony twaróg i dżem, którego nie cierpię. Jedzenie szło mi z trudem. Głowa wciąż jeszcze bolała, tyle tylko, że może trochę mniej. Śliny było niewiele i każdy kęs stawał w gardle. Gdy wreszcie uporałem się ze śniadaniem, przyszła siostra z tabletkami. Na szczęście inna niż wczoraj i nie było z nią oddziałowego. Tym razem poszło gładko: ukryłem tabletki między górną wargą a zębami i udałem, że połknąłem. Pielęgniarka, widać albo mało podejrzliwa, albo było jej wszystko jedno, nawet nie zwróciła na mnie uwagi: podała mi wody w kieliszku, potem nakarmiła tabletkami Kowalskiego, zrobiła zastrzyk temu drugiemu, który w ogóle jakby nie istniał, leżał tylko i gapił się w sufit albo spał, i wyszła.

Rozpoczął się obchód i wkrótce dotarł do mojej sali. Weszło sześciu lekarzy, jakaś pielęgniarka i oczywiście osiłek, tutejszy oddziałowy. Nie było wśród nich ani Zimińskiego, ani tej lekarki, Basi. Jako że leżałem najbliżej drzwi, rozpoczęli ode mnie.

– A to jest pacjent, który przyszedł na oddział wczoraj – zagaił młody lekarz, ten sam, który wczoraj prowadził ze mną rozmowę. – Objawy osiowe dość typowe, co potwierdził pierwszy wywiad.

– No właśnie, jakie są objawy? – zapytał najstarszy z całego grona. Jeśli nie ma wśród nich Zimińskiego, pewnie był to ordynator oddziału obserwacyjnego, tak przynajmniej mi się wydawało.

– Zatamowanie – odparł młody lekarz – rozkojarzenie i rzecz jasna brak poczucia choroby.

– Omamy? – spytał ordynator.

– Słuchowe. Głosy. Imperatywy.

– Czy chory dostaje haloperidol?

– Relanium i chloropromazynę.

– Relanium w jakich dawkach?

– Sto.

– Zwiększyć do dwustu i wprowadzić haloperidol. – siwowłosy ordynator pochylił się nade mną. – No i jakże się pan czuje?

– Dobrze – odparłem. – Jestem zdrowy. Nic mi nie jest.

Ordynator wyprostował się i posłał reszcie lekarzy tryumfalny uśmiech mający oznaczać: „a nie mówiłem?".

– Czy chory był badany skalą syntonia-autyzm?

Młody lekarz nabrał wody w usta.

– Proszę wykonać badanie według skali syntonia-autyzm i według skali WISKAD.

Nieźle, pomyślałem, już mnie zaklasyfikowali. Widocznie udawałem przekonująco. Muszę sobie przypomnieć skalę WISKAD. Konsekwencja przede wszystkim.

– Chory wczoraj nie chciał przyjąć leków.

To oddziałowy wtrącił swoje trzy grosze. Ordynator spojrzał na niego, potem na mnie i znów na niego.

– Proszę zwrócić na to uwagę, panie Wacławie – odparł ordynator i aż mnie ciarki przeszły, gdy uświadomiłem sobie, co to może oznaczać w praktyce.

Obchód przeszedł do Kowalskiego. Scharakteryzowali go jako paranoidalnego, co od początku wydawało mi się oczywiste. Natomiast jego sąsiada określili jako katatonika. Czytałem masę książek z psychiatrii i wcale nie było to dla mnie takie oczywiste. Diagnoza wydała mi się dziwna. Jego zachowanie pasuje raczej do zespołu otępiennego, no ale ja obserwuję go ciągle, a oni tylko podczas obchodu, przez parę w minut.

Obchód opuścił salę i przeszedł dalej.

To wszystko na dzisiaj, myślę, teraz tylko leki, które i tak wypluję, i może co najwyżej jeszcze jedna rozmowa z kolejnym psychiatrą na okoliczność skali WISKAD i skali syntonia-autyzm, i to już naprawdę koniec.

Na korytarzu znów rozlega się gwar rozmów, zupełnie jak podczas obchodu, ale to chyba nie obchód. Zresztą głosy są inne, słychać śmiechy, chichoty, czasem podniesione głosy, co zupełnie nie pasuje do powagi i skupienia, które jakże są charakterystyczne dla obchodu...

Na salę wchodzi lekarz, a wraz a nim grupka młodych ludzi ubranych co prawda w białe fartuchy, ale na lekarzy nie wyglądających. Domyśliłem się bez trudu, że to studenci. Każda klinika bawi się w pokazywanie swoich wariatów młodym adeptom medycyny, choć na palcach można policzyć, ilu z nich potem jako specjalność obierze psychiatrię, ale egzamin i tak muszą zdać wszyscy.

– No i jakże się pan czuje? – zwraca się do mnie lekarz oprowadzający studentów.

Na zlecenie Walasa ja też od czasu do czasu oprowadzałem studentów po oddziale, ale robiłem to przynajmniej z głową. Mam więc teraz ochotę pokpić sobie z tego zaimprowizowanego obchodu i jego przewodnika w szczególności, a jako chory mam do tego pełne prawo.

– Jak jasna cholera! – mówię.

Kilku studentów parska śmiechem. Lekarz, ich przewodnik, karci ich surowo:

– Prosiłem, żeby przy pacjentach zachowywać się jak należy!

– Jaki ja tam pacjent – mówię – ja jestem asystent ordynatora na psychiatrii!

Tym razem wszyscy zaczęli się podejrzanie krztusić, przygryzać wargi i pokasływać. Jeden z nich nie wytrzymał i roześmiał się głośno. Lekarz-przewodnik też miał podejrzanie wesołą minę. A najzabawniejsze, przynajmniej dla mnie, było to, że powiedziałem najszczerszą prawdę. Czasem prawda bywa tak nieprawdopodobna, że aż śmieszna.

– Chory, jak państwo widzicie – mówi lekarz przewodnik – jest syntoniczny, łatwo nawiązuje kontakt werbalny z otoczeniem.

– Oj, żebym ci ja nie wsadził do kontaktu! – to mówiąc podnoszę się z łóżka i staję naprzeciwko lekarza, który na widok niebezpiecznego wariata najwyraźniej stracił fason, choć stara się być opanowany, bo pewnie niezręcznie by mu było stracić autorytet u studentów. Jako wariat mogę przecież zrobić wszystko, na co mi teraz przyjdzie ochota i już mam chwycić go za poły fartucha, i przyłożyć raz a dobrze, byłoby to wspaniałe zadośćuczynienie za poniżenie przez oddziałowego, ale właśnie ze względu na wspomnienie grubego osiłka i jego metod, a pewnie zaraz by przybiegł, powstrzymuję się. Myślę, że chyba coś ze mną jest nie w porządku. Ubliżam pielęgniarce, teraz chcę pobić lekarza... Skąd się to u mnie bierze? Czyżby stąd, że mając status wariata, mogę bezkarnie łamać wszelkie normy? A może zawsze skrywana i tłamszona agresja właśnie tu i teraz może znaleźć sobie ujście?

Widzę niekłamane przerażenie w jego oczach. Jest równie zaskoczony jak ja. Tyle tylko, że ja się bawię, a on się boi. I to mi właściwie wystarcza.

– Diabeł jesteś – mówię – a ja Bóg. Bóg walczy z diabłem. Odejdź, szatanie. Apage satanas! Apage! – i powoli, żeby mógł odpowiednio zareagować, wyciągam ku niemu ręce.

Reaguje bezbłędnie. Umyka do tyłu i wycofuje się do wyjścia, a studenci, też chyba porządnie przestraszeni, podążają za nim. Tłumaczy im, starając się zachować resztki fasonu:

– Ten chory jest bardzo pobudliwy. Jak widzicie, jest zdolny do agresji. W takich wypadkach należy...

Reszty już nie usłyszałem: cała grupa wycofała się bowiem na korytarz. Mógłbym przysiąc, że studenci o niczym innym teraz nie myślą, tylko o końcu tego obchodu, ale takie doświadczenie z pewnością im się przyda. Niech nie myślą, że psychiatria to bułka z masłem.

Wciąż nie mogę jeszcze dojść do siebie po tych wczorajszych tabletkach. Odczuwam suchość w ustach, a głowa wciąż daje o sobie znać. Wszyscy inni, którzy wzięli swoje tabletki, pewnie odczuwają to samo, co ja wczoraj albo nie odczuwają, pochłonięci generującymi się w ich mózgach koszmarami. Walas wielokrotnie zwracał mi uwagę, że chorzy zupełnie inaczej tolerują leki psychotropowe niż ludzie zdrowi, którzy przyjmowali je w ramach eksperymentu.

Wychodzę z sali na korytarz w nadziei, że może tu znajdę bardziej rozmownych niż Kowalski i mniej agresywnych chorych, ale znów spotyka mnie zawód. Nie licząc jakiejś starej babulki, korytarz jest pusty. Podchodzę do niej.

– No i jakże tam, matko?

– Albo to ja twoja matka, synu?

– Tak mi się jakoś powiedziało...

– No to niech ci się tak nie mówi, synu. Ja jestem sama. Mój syn umarł. Zabił się. Sam z siebie się zabił. Ja sama jestem na tym bożym świecie. Ludzi to nic ma wcale a wcale. Ludzie wszystkie to pomarli we wojnę.

Straciłem rozeznanie. Zastanawiam się z zawodowego odruchu, co jej właściwie jest, schizofrenia wraz z jej charakterystycznym splątaniem myśli, czy zwykła starcza demencja? Chyba jednak demencja. Schizofrenia jest chorobą ludzi młodych. A mnie interesują przede wszystkim schizofrenicy.

Obserwujemy się nawzajem. Trwa sprzężenie: ja – ona, ona – ja. Gdybym znał kartę jej choroby, moglibyśmy rozmawiać inaczej. Chociaż po co mi właściwie jej karta choroby? To tylko wnioski z rozmowy jednego lub kilku lekarzy. Zapis ich subiektywnych odczuć i spostrzeżeń o charakterze lekarskiego dokumentu wyznaczającego potem życie takiej pacjentki: jest psychicznie chora czy nie, a jeśli jest, to w jakim stopniu? Czy jest niebezpieczna dla otoczenia i należy ją hospitalizować, czy też może wracać między ludzi, choć już ze stosowną etykietką byłej pacjentki wariatkowa? Więc na cóż mnie, psychiatrze, karta choroby, jeśli mogę ją, oczywiście na własny użytek, spreparować sam? Tylko czy ma to sens akurat w tym przypadku? Intuicja podpowiada mi, że staruszka cierpi na demencję. Demencja starcza to zupełnie inna jednostka chorobowa niż schizofrenia, w każdym razie mnie akurat nie interesuje.

Zostawiam staruszkę, bo oto dostrzegam snującego się po korytarzu chorego. Idzie wprost na mnie, zatopiony w swoich wizjach. Szeroko rozstawione oczy, nalana twarz, powolne ruchy i nieruchomy wzrok wlepiony w jakiś punkt nad moją głową wskazują wyraźnie na tego, o kogo mi chodzi. Klasyczny przypadek.

Na moim oddziale, zanim jeszcze wezwałbym go do gabinetu na rozmowę, już wiedziałbym, z kim mam do czynienia. Paranoidalny.

– Przepraszam – mówię bo trzeba przecież jakoś zacząć.

Nie reaguje. Idzie przed siebie, wciąż wpatrując się w jakiś punkt ponad moją głową. Ma halucynacje. Wpatruje się lub wsłuchuje w coś, co widzi lub słyszy i najwyraźniej jest tym głęboko zafascynowany.

Gdy mija mnie, kładę mu ostrożnie dłoń na ramieniu, chcąc przerwać jego letarg, nawiązać rozmowę, i...

– Nic panu nie jest?

Nade mną pochyla się pielęgniarka. Przez jej ramię zagląda oddziałowy, znienawidzony osiłek, i jeszcze ktoś, i jeszcze... Widzę wiele pochylonych nade mną twarzy...

Boli mnie głowa, ale inaczej niż przedtem. W miarę, jak odzyskuję przytomność, umiejscawiam ból. A więc głowa. A przede wszystkim twarz. Szczęka. A najbardziej zęby. Tak, zęby przede wszystkim.

– Nic panu nie jest? – słyszę.

– Boli – mówię zbierając myśli.

– Co boli?

– Głowa. Zęby...

– Konsultacja z dentystą – słyszę. Mówi to ktoś zza pleców wciąż pochylonej nade mną pielęgniarki. Taki mam szum w uszach...

– Co się stało? – mówię.

– I po co to panu było? – słyszę; tym razem mówi pochylona nade mną pielęgniarka. – Pan Kupski to bardzo agresywny pacjent. Po co pan go zaczepiał?

Już sobie przypominam. Ten schizofrenik na korytarzu. Przesuwam językiem po zębach, żeby sprawdzić, czy któregoś nie brakuje, ale nie, chyba wszystkie są na swoim miejscu. Tyle tylko, że są obolałe. Przecież ja tylko położyłem mu dłoń na ramieniu, a potem... Potem już nic nie pamiętam. Potem chyba musiał mnie zaatakować. Ale dlaczego? Od dwóch lat, od kiedy zacząłem pracę w szpitalu, żaden z chorych nawet czegoś takiego nie próbował.

– Mówiłem, kolego – mówi oddziałowy – żebyś leżał na swojej sali i nie szukał guza. Mówiłem?

– Mówiłeś – mówię.

– A co to za spoufalanie się?! Powiedz: mówił pan, panie oddziałowy! No mów!

– Panie Wacławie!... – mówi z lekką naganą w głosie pielęgniarka, z lekką, bo osiłek ostatecznie jest jej przełożonym.

– Porządek musi być – mówi oddziałowy – bo inaczej będzie tu istny dom wariatów!

Domyśliłem się, że osiłek nie cieszy się sympatią nie tylko wśród pacjentów, ale także wśród personelu. Dlaczego więc ten brutalny cham jest tu oddziałowym, i dlaczego wszyscy muszą go tolerować?! Aż mnie korci, żeby podjąć z nim jakąś cichą, podstępną, a przez to skuteczną wojnę podjazdową. Może na pięści nie mam z nim żadnych szans, ale intelektualnie przerasta go nawet żaba. Okazja do rozgrywki pewnie sama się nadarzy.

– Dziękujemy, panie Wacławie.

Na pierwszy plan wysuwa się stojący dotąd z tyłu lekarz, ten, który zlecił konsultację u stomatologa. Jestem mu niewymownie wdzięczny.

Oddziałowy odchodzi, a lekarz pochyla się nade mną i zaczyna obmacywać mi głowę.

– Au!... – stękam, gdy dotyka skroni. – Tu boli.

– Nieźle pana urządził. Siostro, proszę zrobić panu opatrunek. A na przyszłość – lekarz zwraca się do mnie – proszę nie snuć się po korytarzu i nie zaczepiać innych pacjentów.

– Ale głos mi kazał iść – mówię jak prawdziwy schizofrenik bo nawet w takiej sytuacji nie należy zapominać o symulowaniu. Lekarz wzrusza ramionami i wychodzi, zostawiając mnie sam na sam z dwiema pielęgniarkami. Jestem wdzięczny, że wyrzucił stąd oddziałowego, ale z drugiej strony mam do niego cichą pretensję. Bo on tak naprawdę nic nie rozumie i nawet się nie stara. Gdybym słyszał rzeczywiście jakieś głosy, zostałbym z nimi teraz sam, bez niczyjej pomocy. Dręczyłyby mnie dalej, tak jak innych, autentycznych chorych. A on nawet nie próbuje tego zrozumieć. I naraz przyłapuję się na niekonsekwencji. No dobrze, a co on ma właściwie rozumieć? Chorego? Jego urojenia i halucynacje? Jako żywo staje mi przed oczami Zimiński, który mówi: *„na miłość boską, co pan chce zrozumieć?! Trzydzieści lat ich leczę i nie rozumiem, i nawet nie próbuję, bo jakbym zaczął nagle ich rozumieć, to by znaczyło, że sam dostałem schizofrenii, więc mówię panu: tych drzwi otworzyć nie można, i dobrze, bo gdy rozum śpi, budzą się potwory."* Sam nie wiem, dlaczego zapamiętałem to aż tak dokładnie. Może dlatego, że teraz przyznaję mu całkowitą rację, a już wtedy czułem, że coś w tym jest. Co ja na przykład wiem o chorych, o tym, co naprawdę dzieje się w ich mózgach, jak wygląda ich życie tak wewnętrzne, jak i zewnętrzne, życie w szpitalnej zbiorowości? W porządku, niewiele, podobnie jak Walas, sam się zresztą do tego przyznał, ale jestem tu po to, żeby spróbować się czegoś dowiedzieć. Niezależnie od konsekwencji. Zniechęcić się mogę zawsze, ale jeszcze nie teraz. Przecież dopiero zacząłem się tu rozglądać...

⟞▭⟝

20 września.
Postanowiłem robić zapiski. Coś w rodzaju pamiętnika.

Tyle rzeczy widzę dokoła, a boję się, że nie wszystko zostanie potem w pamięci. Znalazłem niezłe miejsce na notes: w szparze pomiędzy ścianą i kamiennym parapetem. Nie znajdą, żeby nie wiem co.

Sala nieciekawa. Kowalski – paranoidalny, faza ostra. Dość agresywny, syntoniczny tylko wobec lekarzy i pielęgniarek, i to nie wszystkich. Jakakolwiek próba nawiązania kontaktu kończy się fiaskiem: natychmiast włącza mnie do swojego systemu urojeń. Dla niego jestem i pewnie już pozostanę facetem z elektrowni, zupełnie jakby wiedział, że tutejszym lekarzom przedstawiłem się jako elektryk. O tym drugim trudno cokolwiek powiedzieć. Brak z nim kontaktu, ale to na pewno nie katatonik. Nie jest w stanie osłupienia, a jego ruchy są raczej skoordynowane. Mutyzmu też nie ma; czasem, jak go któraś pielęgniarka albo lekarz wyprowadzi z równowagi, rzuca im krótką wiązankę. Nie sprawia wrażenia zainteresowanego czymkolwiek. Najczęściej leży bez ruchu albo śpi. Gdyby nie to, że z jakichś powodów jednak się tu znalazł, powiedziałbym, że jest to człowiek raczej zdrowy, choć dość ordynarny, tyle że spacyfikowany przez końskie dawki psychotropów. Pewnie to jakaś postać schizofrenii a może i otępienia, ale trudno powiedzieć jaka.

Byłem na konsultacji u dentysty. Orzekł, że wszystko w porządku, co najwyżej jednego zęba trzeba by borować, ale można jeszcze poczekać, ubytek jest niewielki. Dentysta patrzył na mnie z wyraźną obawą. Był chyba pewien, że go ugryzę, i widząc jak się tego boi, prawie że miałem na to ochotę. Powstrzymywał mnie tylko widok stojącego nieopodal oddziałowego, który raczył przyprowadzić mnie i pilnować osobiście.

Po konsultacji zaprowadzili mnie do gabinetu na testy. Najpierw jakiś młody lekarz, pewnie stażysta albo dopiero co po stażu, prowadził ze mną rozmowę w stylu „która godzina, jak się pan nazywa, czy pan wie, co panu dolega", a gdy skutecznie, co widziałem po jego radosnej, pełnej zadowolenia z siebie minie, wyprowadziłem go w pole, dał mi testy: ogromny stos karteczek, które miałem rozkładać na kupki. Widocznie postanowili sprawdzić mnie kompleksowo, bo albo coś im się we mnie nie podoba, albo mają kłopot z postawieniem rozpoznania. Czyli albo udawałem źle, albo aż za dobrze. Lekarz trzymał mnie nad tymi testami bite dwie godziny. Przekładałem na trzy kupki karteczki z idiotycznymi pytaniami w rodzaju *„czy lubisz kolor czerwony?"*, *„czy chciałbyś zostać fryzjerem?"* i tym podobnymi bzdurami. Nad każdym pytaniem musiałem się zastanowić. Jakakolwiek niekonsekwencja wyszłaby przecież w teście, a jednocześnie konsekwencja zbyt daleko posunięta i żelazna logika przekreśliłyby mnie jako schizofrenika, za którego mam tu uchodzić. Zauważyłem, że niektóre pytania powtarzają się. Dało mi to do myślenia. W każdym razie pamięć mam dobrą i dlatego starałem się, żeby odpowiedzi, choć bzdurne, były konsekwentne. Na koniec dali mi do wypełnienia skalę syntonii – autyzmu. To już było prostsze, choć mózg miałem po poprzednim teście rozgrzany do czerwoności. Schizofrenik izoluje się od świata i od innych ludzi, toteż wiedząc o tym, szło mi jak po maśle. Pamiętam taką zabawną sytuację jeszcze z wykładów; Walas dał nam tę skalę do wypełnienia i okazało się, że co najmniej trzy czwarte studentów kwalifikuje się do grupy osobników autystycznych jako zamknięci w sobie, niechętni światu i kontaktom towarzyskim z innymi ludźmi. Z początku zapanowała wielka wesołość, a potem konsternacja, bo przecież większość z nas według tego testu okazała się kandydatami na schizofreników. I dopiero Walas musiał nam tłumaczyć, że przecież testów tych nie daje się do wypełniania ludziom zdrowym, i że jeśli ktoś nie jest towarzyski i woli samotność, nie oznacza, że powinien się natychmiast leczyć. Przekonywał nas, że skala jest narzędziem pomocniczym w badaniu osób już podejrzanych o chorobę, by określić poziom kontaktów społecznych chorego i już prawie udało mu się nas uspokoić, gdy nagle Jarek Krupski, dociekliwy kujon zawsze pierwszy do dyskusji, zapytał: a skąd wiadomo, gdzie zaczyna się choroba psychiczna i komu w związku z tym można dać do wypełniania takie testy? Wówczas pierwszy raz widziałem Walasa w takiej konsternacji. Nie pamiętam już, co odpowiedział albo raczej co usiłował odpowiedzieć, zaczął od pytania na pytanie: kiedy według pana zaczyna się łysina?, a potem mówił coś o statystycznym pojęciu normy psychicznej, ale zaczął się plątać i nie wypadło to zbyt przekonująco, a my po tych testach i pytaniu Krupskiego mieliśmy porządnie zabitego ćwieka...

Po obiedzie znów nuda i marazm. Nie pomyślałem o tym, że jedzenie będzie takie fatalne. O moim pobycie tutaj nikt nie wie, więc na jakiekolwiek wsparcie liczyć nie mogę. Oczywiście wiadomo, że lekarze czy dyżuranci dostają ze szpitalnej kuchni co innego niż pacjenci, ale tutaj przepaść jest naprawdę ogromna.

Nic się nie dzieje. Wszyscy leżą w swoich łóżkach ogłupiali po lekach. Cisza i spokój.

Czekałem na pojawienie się tej lekarki, Basi, ale nie było jej ani na obchodzie, ani na oddziale, ani nie przyszła na dyżur.

22 września.

Dzisiejszej nocy było piekło. Prawie nie zmrużyłem oka, chociaż inni spali jak zabici. Nic dziwnego: wszyscy biorą tabletki, a ja konsekwentnie wypluwam. Metoda chowania ich między górną wargą a zębami okazała się bardzo skuteczna. Oddziałowy parę razy, nie dowierzając, że jednak łykam, wsadzał mi łyżkę pod język, ale skoro nie znalazł niczego, uznał, że jestem już grzeczny, biorę leki, więc dał spokój ze sprawdzaniem. Piekło rozpętał jakiś nowy, którego przywieźli w nocy. Darł się wniebogłosy i miotał po całym oddziale, nie dając się złapać. Bałem się wstać, bo mogliby pomyśleć, że skoro inni śpią, a ja nie, to coś jest nie w porządku i warto dać mi środki na sen. Oddziałowy nie miał tej nocy dyżuru i nikt nie mógł sobie z nowym poradzić. W końcu jednak jakoś go złapali, wrzucili w pasy, rąbnęli kilka zastrzyków i zapanował spokój.

Zmienili mi leki. Zastosowali chloropromazynę i zwiększyli dawki relanium. Awansowałem na schizofrenika pełną gębą. Widocznie wypełniłem oba testy po ich myśli. Duża satysfakcja: wyprowadziłem ich w pole. Będą mnie jeszcze tu trzymali przez pewien czas, by potwierdzić diagnozę, a potem chyba odeślą na właściwy oddział. Zimiński nie jest ordynatorem tego oddziału. Nie mam z nim żadnego kontaktu. Zastanawiam się, co zrobić, gdy trafię na oddział, gdzie Zimińskiego nie będzie. ale sądzę, ze skoro obiecał i mnie i Walasowi pomoc, pewnie się z tej obietnicy wywiąże. Może źle zrobiłem, że nie wtajemniczyłem w swój plan większego grona osób?...

23 września.

Poranny obchód. Typowe pytanie: „jak się pan czuje" i typowa odpowiedź: „dobrze".

Po obchodzie przyszedł po Kowalskiego oddziałowy. Zamienili kilka słów. Kowalski jak zwykle wobec personelu był nadzwyczaj syntoniczny. Opowiadał o elektrowniach, prądach, próbach napięcia, a pielęgniarz kiwał ze zrozumieniem głową. Poszli.

Wyszedłem na korytarz. Bezskutecznie szukałem kogoś, kto zechciałby ze mną porozmawiać. Korytarz był pusty. Wróciłem na salę i ku mojemu zdziwieniu ujrzałem tego drugiego, jak gramoli się z łóżka. Gdy wszedłem na salę, wlepił we mnie przenikliwe spojrzenie i po swojemu, jak pierwszego dnia mojego pobytu, zaczął poruszać bezgłośnie ustami nie spuszczając ze mnie wzroku. Zachęcony podszedłem bliżej. Dosłyszałem, jak mamrocze pod nosem: bdziu... bdzi... bdziu... I nagle niespodziewanie uśmiechnął się do mnie szeroko. „Cześć" – powiedział radośnie i wyciągnął rękę. Nie wiedziałem, co mam robić. Na wszelki wypadek uścisnąłem mu dłoń i w tej samej chwili dostałem potwornie silny cios.

Ocknąłem się na podłodze otoczony pielęgniarkami. Oczy zalewała mi krew. Miałem rozcięty łuk brwiowy. Założyli mi szwy. To już trzeci raz oberwałem od tutejszych chorych. Najpierw zaatakował mnie Kowalski, potem jakiś nieznajomy na korytarzu, a teraz ten. Obudził się we mnie strach przed pacjentami tego oddziału. Dotąd byłem zbyt ufny i to się zemściło. Uświadomiłem sobie, że ten strach nie pojawił się dopiero tu i teraz. Strach tkwił we mnie już od dawna, chyba od samego początku pracy na oddziale, a może jeszcze wcześniej – od chwili gdy po raz pierwszy ujrzałem oddział jako student. Dlaczego więc zdecydowałem się pracować jako psychiatra? Chyba nie tyle z chęci niesienia pomocy chorym ile z ciekawości przed Nieznanym drzemiącym w ich mózgach. Obawa przed nimi musiała we mnie tkwić od początku i może to właśnie ona pchała mnie ku psychiatrii na zasadzie emocjonującego dreszczyka i szczypty ryzyka przed Nieprzewidywalnym. A że nigdy obawa czy wręcz strach nie przeszkadzały mi w tym, co robiłem? To z pewnością zasługa pancerza, jakim jest biały fartuch, bo lekarz tak naprawdę jest prawie nietykalny. Zanim na oddziale mógłbym mieć jakiś rzeczywisty powód do strachu lub znaleźć się w sytuacji autentycznego zagrożenia, do akcji wkroczyliby krzepcy pielęgniarze i zdecydowane na wszystko pielęgniarki. Nie byłem sam. Tworzyliśmy wobec osamotnionych w swych urojonych światach pacjentów zwarty zespół i w tym zespole tkwiła nasza siła. W zespole i w potędze stojącej za nami baterii strzykawek, leków, pasów i kaftanów. Tu jest zupełnie inaczej. Nikt i nic mnie nie wspiera. Nie jestem ani lekarzem, ani nie należę do pacjentów. Zdany jestem wyłącznie na własne siły, a sił mam niewiele. Pozostaje mi podporządkować się rytmowi tutejszego życia i nie wchodzić w drogę innym. Leżąc teraz na łóżku, z palącą, pozszywaną brwią, czuję strach przed każdym z nich, bo nie potrafię przewidzieć kto i kiedy zaatakuje. Wyczuwają widocznie, że nie jestem jednym z nich i wyładowują na mnie swoją tłumioną dotąd agresję. Zupełnie jakby chcieli dać do zrozumienia: wczoraj ty nas, dziś my ciebie. Zostałem sam przeciwko wszystkim. Z jednej strony lekarze, którzy uważają mnie za jednego z nich, pacjentów, a z drugiej pacjenci, którzy widocznie uważają mnie za lekarza albo przynajmniej za namacalny symbol zagrożenia, na tyle jednak bezsilny, że można na mnie bez żadnych konsekwencji wyładować irracjonalny, schizofreniczny gniew. Zrozumiałem, co między wierszami chciał mi powiedzieć Walas: odpuść sobie, jako i ja sobie odpuściłem. Jak ich zrozumieć, jak ich zrozumieć nie można. Brak kontaktu i wrogość, jeśli się próbuje wejść w ich intymny, absurdalny świat, a nie ma się za sobą siły i władzy, którą muszą uszanować. Ciekawe, czy Walas też kiedyś próbował leżeć na oddziale psychiatrycznym? Podejrzewam, że tak. Swego czasu znany był z dość odważnych eksperymentów. Brał insulinę, najnowszy krzyk mody w czasach jego młodości, jak Kępiński wstrzykiwał sobie LSD, eksperymentował z haloperidolem i chloropromazyną. Od tego już tylko krok do poznania oddziału od wewnątrz. A może mimo wszystko nie miał odwagi?

Oddziałowy przyprowadził na salę Kowalskiego. A właściwie nie przyprowadził – bo Kowalski nawet nie szedł jak należy, nogi mu się plątały niemiłosiernie – tylko raczej go przywlókł. Jeden rzut oka wystarczył, bym wiedział, że zrobili mu elektrowstrząsy. Niewidzące oczy, bezsensowny bełkot, nieskoordynowane ruchy. W takim stanie powinni go raczej przywieźć na wózku, ale widocznie albo wózka akurat nie było pod ręką, albo oddziałowy lubi takie rzeczy: niesie pokonanego wariata jak worek kartofli, drętwą kukłę, której medycyna w całym swoim majestacie walki o normalność gatunku ludzkiego rąbnęła wolty w mózg i teraz biedny wariat jest jak gumowa lalka i albo mu się polepszy, albo nie, bo tego nigdy nie wiadomo, a póki co, można z nim robić, co się chce i oddziałowy puszy się jako przedstawiciel tejże wszechwładnej medycyny, co prawda przedstawiciel niskiego szczebla, ale zawsze. Kto wie, czy, nie przyłożył mu po cichu raz i drugi.

Elektrowstrząsy. Cholerny wynalazek. Czytałem, że ci którzy to wynaleźli, sobie oczywiście tego nie zrobili i trudno się dziwić. Wiele lat minęło, zanim ustalono ile woltów i ile amperów, i przez jaki czas, ma atakować chore mózgi, żeby była szansa, że coś się w nich polepszy, choć do tej pory nie wiadomo co i dlaczego.

24 września.

Leżę na swoim łóżku i wściekam się z powodu przymusowej bezczynności, bo nie mam zamiaru ryzykować kolejnego poturbowania wychodząc na korytarz albo pokazując się na oczy mojemu sąsiadowi z sali, który od wczoraj najwyraźniej się uaktywnił. Doszło nawet do tego, że od czasu do czasu wstaje ze swojego barłogu, jak gdyby nigdy nic pochyla się nad moim łóżkiem i obserwuje mnie w skupieniu, marszcząc złowrogo brwi i mamrocząc to swoje „bdzi-bdzie-bdzia". Zaciskam wówczas powieki i pocąc się ze strachu, bo przecież nic zrobić nie mogę, jestem zdany na jego nieprzewidywalne kaprysy, udaję, że śpię. Do niedawna czułem się na oddziale psychiatrycznym jak na swoim folwarku, ale teraz wszystko się odmieniło. Boję się wszystkich i wszędzie wietrzę ukryte zagrożenie, zupełnie jak prawdziwy schizofrenik.

Paraliżuje mnie strach, ale i doskwiera bezczynność. Brakuje mi oddziału, kolegów z pracy, gazety, telewizora, książek, spotkań z przyjaciółmi, szklanki zimnego piwa, kobiet, wszystkiego. Wiem już, że leżąc tutaj chyba niewiele się dowiem, a jeśli nawet, to nie warto ryzykować. Warto – nie warto... To nawet nie o to chodzi. To nie jest kwestia wyboru. To kwestia konieczności podyktowanej przez paraliżujący strach. Pozbawiony dystansu jaki dzieli ludzi zdrowych od chorych i poczucia bezpieczeństwa stałem się po prostu jednym z pacjentów na tym oddziale i wcale nie pomaga to, że uważam się za kogoś z innego świata, świata ludzi zdrowych, tej statystycznej, przeważającej zbiorowości, która wyznacza psychiczną normę, czymkolwiek by ona była. Leżę jak trusia, na widok mojego sąsiada z sali trzęsę się ze strachu, i czuję upływający czas. Czas stracony. W poszukiwaniu straconego czasu. Jak u Prousta. Tyle tylko, że ja niczego już nie poszukuję. Mam po prostu wszystkiego serdecznie dość.

Kowalski od wczoraj nie rusza się z łóżka. Leży jak kłoda i od czasu do czasu wydaje z siebie nieartykułowane, gardłowe dźwięki. Elektrowstrząsy nie pomogły mu w niczym, a wręcz przeciwnie. Taki chory po elektrowstrząsach inaczej wygląda z perspektywy lekarza, który widzi chorego między jednym obchodem a drugim: ot, pacjent, jakich wielu. Dziś niedobrze? Jutro może będzie lepiej. Nie jest lepiej? To może nazajutrz się poprawi. A jak nie, to zastosuje się coś innego. Ale tutaj, na sali, jeden dzień wypełniony takimi jękami staje się nie do zniesienia. To już nie jest jakiś anonimowy pacjent. Jest to Kowalski, i to nic jakiś tam Kowalski, ale ten Kowalski, ten od prądów. Leży teraz bez ruchu i nie mówi już o prądach, nie wstaje do jedzenia ani do ubikacji, nie wychodzi na krótki spacer po korytarzu. Leży bez czucia i woli, roztacza wokół siebie drażniącą woń moczu i fekaliów – czuję, bo węch mam ostry – i bełkocze coś bez związku. Wiem: amnezja, rozbicic, luki w świadomości, jak w podręczniku, ale ta przemiana człowieka, nawet chorego, mówiącego coś bez sensu o jakichś prądach i elektrowniach, w pozbawioną jakiejkolwiek świadomości masę obolałych tkanek, w bezwolną kukłę, jest nie do zniesienia, jeśli nie można uciec od tego widoku nawet na chwilę, tym bardziej, że chciałbym jakoś mu teraz pomóc, ale nie wiem jak, i nic dla niego zrobić nie mogę.

25 września.

Jestem tu już od tygodnia i oprócz strachu przed pacjentami, przed którymi nikt i nic obronić mnie nie może – a wobec mnie, zauważyłem, są jakoś wyjątkowo agresywni, czasem nawet zaglądają do mojej sali i jeśli któryś wejdzie, podchodzi właśnie do mnie i przygląda się złowrogo, zupełnie jakbym był tu jakimś szczególnie ciekawym okazem, o którym krążą po oddziale legendy – więc oprócz tego strachu, bo nigdy nie wiadomo, co im wobec mnie, struchlałego z przerażenia, przyjdzie do głowy, odczuwam niepokój, gdyż mój pobyt tutaj zdaje się nic mieć wyraźnie określonego końca. Od początku pobytu nie widziałem Zimińskiego, nic nie mówi się też o przeniesieniu mnie na inny oddział. Chciałem uchodzić za zwykłego pacjenta, więc jestem właśnie tak traktowany. Tabletki. Testy. Zdawkowe pytania na obchodzie. Ale mimo to czuję się nieswojo. Nie boję się już odkrycia mistyfikacji: zostałem uznany za schizofrenika, trud symulowania został należycie doceniony i całe to udawanie wzięto za dobrą monetę, szczególnie po przeprowadzeniu testów. Dostałem inne leki i większe dawki, a przede wszystkim włączyli mi integrin, z czego wywnioskowałem, że według nich mam porządny autyzm, jak rasowy schizofrenik, i chcą mnie w ten sposób zaktywizować. Więc nie boję się, że ktoś pozna się na tym, że symuluję, ale boję się czegoś innego: że zanim mnie przeniosą, będę tu leżał Bóg wie jak długo. Zastanawiam się, czy dobrze zrobiłem, aż tak wczuwając się w swoją rolę. Jak długo będę tu leżeć? Żeby tak już wreszcie trafić na oddział Zimińskiego... Ale co robić? Czy wystarczy po prostu zmienić taktykę i tym razem udawać, że jest mi coraz lepiej? Oczywiście w szpitalu psychiatrycznym nie ma pośpiechu, ludzie spędzają tu miesiące, a nawet lata, więc cóż to jest jeden marny tydzień? Dla autentycznych chorych tydzień czy miesiąc zlewają się w jeden długi lub krótki, nieoznaczony bliżej okres, gdy są owładnięci koszmarami generowanymi przez ich chore mózgi, ale dla człowieka zdrowego tydzień bezczynności podminowanej na dodatek strachem przed otoczeniem to długo, zbyt długo, by się z tym oswoić. Tym bardziej, że nie można przecież wiecznie leżeć na obserwacji, gdy przecież wszystko jest jasne: jeżeli naprawdę uznali mnie za schizofrenika, to powinienem trafić na oddział razem z innymi schizofrenikami, a nie leżeć tu bez sensu w ogólnym galimatiasie wszystkich chorób psychicznych, jakie tylko wymyśliła Matka Natura...

26 września.

Nic się nie zmienia. Wciąż czuję się zagrożony. I kolejne zdarzenie: gdy wyszedłem do ubikacji, na korytarzu spotkałem jakiegoś chorego. Ten, zamiast minąć mnie bez słowa, jak większość pacjentów do tej pory, nagle zastąpił mi drogę, spojrzał na mnie groźnie i powiedział: „ty głupi chuju!", a potem zamierzył się pięścią i zdążyłem uniknąć ciosu tylko dlatego, że miałem nad nim istotną przewagę: jego reakcje były spowolnione przez końskie dawki środków uspokajających, a ja żadnych leków nie brałem. Usiłował mnie gonić, ale uciekłem do ubikacji, a ponieważ z oczywistych względów nie było tam żadnych zamków ani klamek, zatarasowałem drzwi własnym ciałem. Tamten dobijał się przez dłuższą chwilę, napicrał na drzwi, ale w końcu zrejterował i gdzieś sobie poszedł. A ja z autentycznego strachu dostałem rozwolnienia.

Zastanawiam się, jak to możliwe, bym po pobycie tutaj, którego mam serdecznie dość, powrócił do pracy na oddziale? Strach, który tu mną owładnął, jeśli nawet znów wesprze mnic medycyna i szpitalny personel, spowoduje, że zawsze będę rozważał kontakt z chorymi w kategoriach niebezpieczeństwa czy zagrożenia. To nieważne, że chorzy mogą to zauważyć, przecież i tak nie będą mogli bezkarnie tego wykorzystać. Ważne jest to jak ja będę się z tym czuł. To tak, jakby do malowania fabrycznych kominów zatrudnić człowieka z lękiem wysokości. Ile czasu upłynie, zanim zacznę traktować pacjentów tak jak dotąd, z rezerwą, lecz bez strachu? Czy Walas też boi się, lub bał się kiedyś pacjentów? A Pracka? A Wiśniewski? Albo ci lekarze tutaj? A może nie boją się, bo nigdy nie uświadamiali sobie, tak jak ja dotychczas, realnego zagrożenia albo rzeczywiście zagrożenie ze strony chorych wobec personelu jest znikome w porównaniu z tym, jakie stanowią dla siebie pacjenci, jeden dla drugiego. Być możc nawet sami pacjenci nie wiedzą, że mogą być dla kogoś zagrożeniem. Jest im wszystko jedno, co dzieje się dokoła albo wręcz przeciwnie, wszystko co dzieje się wokół odnoszą do siebie jako dowód spisku, zguby; nawet kolor ścian może być zinterpretowany jako znak ostrzegający przed wyimaginowanym niebezpieczeństwem, nie mówiąc już o halucynacjach, o nieistniejących postaciach albo głosach każących popełnić samobójstwo lub nakazujących wykonywać czasem śmieszne, a czasem przerażające czynności. Dlaczego właściwie tak uparłem się na ten eksperyment? Niczego się nie dowiedziałem oprócz tego, że jako pacjent mam z nimi o wiele mniejszy kontakt niż jako lekarz, ba, nie mam z nimi kontaktu w ogóle. Jedyny skutek to to, że będę pewnie przez długi czas drżał na samą myśl o powrocie do pracy, bo co z tego, że w każdej chwili można wezwać pomoc, przecież istotniejsze jest, żeby nie bać się na zapas, nie wyczekiwać z drżeniem kolan na jakikolwiek odruch choćby tylko domniemanej agresji jednego z prawie sześćdziesięciu chorych na moim oddziale. Zresztą oni pewnie od razu by to wyczuli. Tak jak nie ulega wątpliwości, że tutejsi pacjenci są wobec mnie szczególnie agresywni, bo wyczuwają instynktownie, że ich się boję.

Kowalskiego zapakowali na wózek i gdzieś zawieźli. Zastanawiające, że przez dwa dni nie odzyskał przytomności. Tyle tylko, że ostatnio przestał jęczeć. Jeżeli zdecydowali się na normalny cykl zabiegów, to znaczy, że pojechał na drugi elektrowstrząs. W zasadzie po takiej reakcji powinni przerwać kurację. Chyba że mają nadzieję, że kolejny wstrząs rozblokuje to, co zablokował pierwszy. Czekałem, kiedy przywiozą go z powrotem i w jakim będzie stanie, ale Kowalski już nie wrócił. Po kilku godzinach przyszły salowe i zmieniły pościel. Widocznie przenieśli go na inny oddział.

27 września.
Nie wytrzymałem. Poszedłem do lekarza dyżurnego, a był to lekarz już starszej daty, więc miałem prawo liczyć na zrozumienie, i powiedziałem, że przychodzą do mnie pacjenci, nachylają się nad moim łóżkiem, gapią się i w każdej chwili gotowi są coś mi zrobić. Powiedziałem, żeby mnie izolował, albo co. A on – widziałem po jego minie – zignorował to, co powiedziałem i odparł w tym znanym, psychiatrycznym żargonie, że dobrze-dobrze, że wszystko w porządku, żeby się nie denerwować i że zaraz da mi tabletki. Potraktował mnie jak typowego pacjenta z manią prześladowczą. Nie wiedziałem, jak mam mu powiedzieć, jak go przekonać, że to dzieje się naprawdę. Zapomniałem, że w szpitalu psychiatrycznym nic właściwie nie dzieje się tak naprawdę. Zrozumiałem, że tylko się ośmieszyłem albo że pogrążyłem jeszcze bardziej jako pacjent z nasilonymi objawami psychotycznymi. A że oni faktycznie przychodzą mnie oglądać, że ten mój współtowarzysz z sali przez cały czas nie spuszcza mnie z oka, powtarzając to swoje „bdzie–bdziebdzie", gotów w każdej chwili zaatakować jak poprzednio – to wszystko nie ma znaczenia, nie musi być realne i może świadczyć o manii prześladowczej oznaczającej według lekarzy zaostrzenie się mojej choroby zaś to z kolei może oznaczać potrzebę dalszej obserwacji i dłuższy pobyt na tym oddziale. Byłem na siebie wściekły. Tym bardziej, że nie przewidziałem oczywistej reakcji lekarza dyżurnego. Mało, że zawracam mu głowę na dyżurze, kiedy sposobi się raczej do spania albo przygruchania jakiejś pielęgniarki, to jeszcze mówię mu jako chory z podejrzeniem schizofrenii, że czuję się zagrożony, i w dodatku oczekuję od niego konkretnych decyzji, mających zapewnić mi bezpieczeństwo. Czysty idiotyzm. Tym bardziej, że na jego miejscu postąpiłbym dokładnie tak samo: zignorowałbym takie gadanie i dałbym pacjentowi coś na sen.

W nocy obudziło mnie niesamowite uczucie. To było uczucie śmierci. Nie da się tego opisać. Współtowarzysz z sali zacisnął łapska na mojej szyi, chcąc mnie najnormalniej w świecie udusić. Oczy wylazły mi na wierzch, zabrakło powietrza, a przez myśl – i to jest prawda, co mówią o takich momentach inni – przewinęło mi się całe życie podzielone na trwające ułamki sekund krótkie sekwencje. Znikąd nie było ratunku. Wierzgałem rozpaczliwie, lecz bezskutecznie. Nie mogłem się w żaden sposób wyswobodzić. Opisuję to rzecz jasna po fakcie i zdaję sobie sprawę, że żaden opis nie potrafi oddać grozy sytuacji, bo teraz, gdy to notuję, wygląda to tak, jakbym próbował się nad tym wszystkim racjonalnie zastanawiać, rozsądnie przeciwdziałać, a tymczasem wtedy była to odruchowa, rozpaczliwa walka o przetrwanie. Nie było czasu na myślenie: za mnie i moją świadomość walczył instynkt, zwyczajny instynkt zachowania życia. I wtedy niespodziewanie w sukurs przyszedł mi mój napastnik. Puścił moją szyję. Upojony jakąś nieodgadnioną myślą uśmiechnął się, odchylił głowę do tyłu i przeciągle zawył. Nabrałem powietrza ile tylko mogłem i z całych sił wrzasnąłem: „ratunku!". On wył, a ja darłem się na całe gardło, wzywając pomocy. W końcu przybiegł ten starszawy lekarz, pielęgniarka i sam oddziałowy, widocznie tej nocy miał akurat dyżur. Gdy wpadli na salę, mojemu prześladowcy przypomniało się widocznie, co miał zrobić, bo znów złapał mnie za gardło i zaczął dusić. Teraz jednak z pomocą przyszedł mi oddziałowy. Błyskawicznie założył tamtemu nelsona, chwycił potem za włosy i doprowadził do łóżka. Powiedział jeszcze do siostry „pani Krysiu, pasy" – i rzucił go na łóżko jak worek kartofli, uderzył w żołądek, a gdy tamten zwinął się z bólu, przygniótł go do materaca i wsadził mu kciuki pod uszy. „Ależ panie Wacławie" – zaprotestował słabo lekarz, ale oddziałowy nawet nie zwrócił na to uwagi. Cholerny sadysta, pomyślałem, ale przecież zawdzięczam mu życie. I doceniłem go w pełni, akceptując nawet jego brutalność i sposób zachowania wobec pacjentów. Bo właśnie ktoś taki – mimo gadania o biednych, zdezorientowanych chorych, o prawach człowieka i tym podobnych bzdurach – był tu naprawdę potrzebny. Po chwili pielęgniarka przyniosła pasy i teraz mogłem już spać spokojnie. Przynajmniej tej nocy, a w każdym razie dotąd, dopóki go nie rozwiążą. Lekarz pokiwał głową, szepnął coś pielęgniarce, pewnie zlecił zastrzyk, i poszedł do wyjścia. „Panie doktorze – powiedziałem – mówiłem przecież panu, że ten człowiek mi zagraża. I inni też. Ja naprawdę mam podstawy, żeby się ich bać". Lekarz obrzucił mnie niechętnym spojrzeniem, mruknął: „dobrze-dobrze, niech pan teraz spróbuje zasnąć", odwrócił się do pielęgniarki, powiedział: „temu też proszę dać setkę relanium" i wyszedł. Uśmiechnąłem się w duchu: mógłby nawet dać dwieście, i tak przecież nie połknę. Znów potraktował mnie jak wariata, ale czego właściwie mogłem się spodziewać? Pielęgniarka wyszła i wróciła po chwili z nerką, wacikami i strzykawkami. Ponieważ tamten na nowo się uaktywnił, prężył się i kręcił, co mogło grozić złamaniem igły, oddziałowy przydusił go do materaca i dopiero wówczas można było kłuć. Pomyślałem sobie, że dziś będzie wyjątkowo spokojna noc i odetchnąłem z ulgą. Nie był to jednak koniec wrażeń. Oto bowiem pielęgniarka podeszła z zastrzykiem do mnie. „Proszę się położyć". Zamarłem z przerażenia. „Słyszał pan? – przynagliła. – Muszę zrobić zastrzyk". „Ależ siostro – zaskomliłem przestraszony – to wcale nie jest potrzebne...". Oddziałowy, który dotąd siedział na stołku i obserwował tamtego, podniósł leniwie swoje potężne cielsko i stanął nade mną. „No jazda – warknął – wystaw dupę, bo też pójdziesz w pasy!". Rad nierad położyłem się na brzuchu i pozwoliłem zrobić sobie zastrzyk. Pół biedy,

57

że to tylko relanium, choć taka dawka to już cała bieda – zdążyłem pomyśleć i prawie natychmiast zasnąłem.

28 września.
Przebudzenie tragiczne. Zupełnie jak przed tygodniem. A właściwie nie przebudzenie, lecz przejście ze snu w stan pół-jawy.
Znów ta suchość w ustach i ból głowy. O jedzeniu nawet mowy
nie ma, i tylko pić się chce straszliwie, pić... Pamiętam, że śniły
mi się jakieś koszmary. Indianie z poucinanymi głowami, którzy
gonili mnie z długimi nożami, kat, który miał mnie powiesić i sędziowie, którzy wydawali na mnie wyrok, jakiś lot kosmiczny,
moja egzekucja na krześle elektrycznym, która miała odbywać się
w dziwnym laboratorium na obcej planecie... Jeśli kiedyś będę
pisał książki, tak jak Walas, nie omieszkam przy okazji omawia-
nia wpływu dużych dawek relanium na organizm zaznaczyć:
„doświadczenia własne". Myślałem dotąd, że moim pierwszym
krokiem w tym szpitalu będzie poznawanie psychiki pacjentów,
tymczasem okazało się, że póki co poznaję działanie środków psy-
chotropowych na własnej skórze.

Wzięli mnie na badania. Wypytywali o to samo co dotychczas: imię, nazwisko, zawód, datę i takie tam głupstwa. Rutynowe
badanie na orientację allopsychiczną, czy zdaję sobie sprawę kim
jestem, gdzie jestem i kiedy to się dzieje. Ponieważ od pewnego
czasu przestałem wczuwać się w swoją rolę, by tym prędzej stąd
się wydostać, tak i tym razem starałem się, by uznali, że jestem
już na tyle podleczony i niegroźny, że można mnie spokojnie wy-
słać na właściwy oddział. W każdym razie wstępną diagnozę już
mają, ułatwiałem im zadanie jak mogłem, więc teraz chciałem
sprawić jak najlepsze wrażenie. Chyba mi się udało, bo dali mi

drugą, skromniejszą wersję skali WISKAD, żebym przekładał karteczki z kupki na kupkę jeszcze raz. Widocznie chcą mieć wyniki różnicowe. Tylko uświadomiłem sobie, biorąc do ręki te nieszczęsne karteczki, że już nie bardzo pamiętam, jak je układałem poprzednio, co na kupkę „tak jest", co na „tak nie jest", a co na „nie wiem"...

30 września.
Dziś rano powiedzieli, że zostanę przeniesiony na oddział. Nie powiedzieli na jaki, a ja nie pytałem, bo po co? Na pewno będzie to oddział ze schizofrenikami, a przynajmniej z ich przewagą. Nie wiem, jaką tu mają strukturę organizacyjną, ale nie do pomyślenia jest, żeby nerwice mieszać z psychozami, toteż nerwicowców i cyklofreników też nie wsadzą do jednego kotła.

Mija już południe, a jakoś nikt nie kwapi się z przenosinami. Mam nadzieję, że będzie to oddział, którego ordynatorem jest Zimiński, bo w przeciwnym razie... Aż strach pomyśleć... A gdyby naprawdę o wszystkim zapomniał?.. Ale i tak cieszę się, że ten etap, etap obserwacji, mam już za sobą, choć z drugiej strony z przerażeniem myślę o tym, co mnie teraz czeka. Jeżeli na oddziale obserwacyjnym – gdzie wszystkie stany są ostre, a chorzy potężnie wytłumieni lekami – bałem się prawie każdego, to co dopiero czeka mnie na tamtym oddziale? Ostatecznie ci przewlekli albo ci już podleczeni są o wiele bardziej kontaktowi, a ich agresja nie jest całkiem ślepa, potrafią nią kierować. Ale jedno jest ważne: obojętne jak będzie na nowym oddziale, będzie zawsze inaczej niż tu, gdzie nic nowego i ważnego dla mojego eksperymentu – przyznaję, trochę jednak zwariowanego – na pewno się nie zdarzy, a poza tym będę w szpitalu już coraz krócej. Te trzy miesiące, teraz już prawie dwa i pół, jakoś wytrzymam.

Pierwszy istotny wniosek z pobytu na oddziale obserwacyjnym dotyczy zmiany założeń. Nie ma żadnej integracji między
chorymi i jeżeli w ogóle występuje jakikolwiek kontakt, jest to
kontakt wyłącznie między pacjentem, a lekarzem. Nie wiem, dlaczego tak akurat się dzieje, skoro dotychczas wydawało mi się, że
to właśnie lekarz ma stosunkowo niewielki kontakt z pacjentem,
choćby dlatego, że tak mało ma dla niego czasu i że lekarz, jako
ktoś, kto faktycznie ingeruje za pomocą różnych metod w psychikę chorego, może być odbierany przez niego jako symbol zagrożenia, a w związku z tym pacjent ogranicza kontakty z lekarzem
i nie informuje go o swoim faktycznym stanie. Zaś drugi wniosek
dotyczy braku jakiejkolwiek wymiany myśli i doświadczeń pomiędzy chorymi. Sądzę, że na tym oddziale są wszystkie możliwe
przypadki, począwszy od schizofrenii, poprzez cyklofrenie, pa-
rafrenie i paranoje, aż do najzwyklejszych nerwic wegetatyw-
nych, i dopiero tu dokonuje się wstępnej selekcji: ten na oddział –
dajmy na to – A, ten na oddział B i tak dalej, i tak dalej. W każdym
razie nie ma tu żadnej integracji między chorymi i coś, co wydawało mi się oczywiste – bo gdy zwykły pacjent trafia do zwykłego
szpitala, przede wszystkim zapoznaje się z innymi leżącymi na
sali, wymieniają uwagi o swych chorobach i sposobie leczenia –
tutaj po prostu nie istnieje. Każdy z pacjentów żyje we własnym,
zamkniętym dla innych świecie, którego rąbka uchyla tylko przed
lekarzem i przed nikim więcej.

Tak. Tego o nich nie wiedziałem, choć być może spodziewać
się powinienem. Autyzm, jedna z głównych cech schizofrenii,
objawia się właśnie takim zamknięciem w sobie, w świecie własnych, nierealnych doznań. Dlaczego akurat lekarz jako agresor
cieszy się większym zaufaniem niż współtowarzysze niedoli, pacjenci – wydaje się zagadką.

– E, ty!

Czuję, że ktoś szarpie mnie za ramię. Otwieram oczy. Nade mną stoi gruby osiłek, pielęgniarz oddziałowy. Żuje gumę. Z jego mlaszczących ust wionie duszący odór przetrawionego czosnku.

– O co chodzi? – pytam wpół przytomnie.

– Chodzi o to, że masz iść. No jazda, ruszaj się!

Osiłek pomaga mi wstać, a właściwie ciągnąc za ręce niemal siłą zwleka z łóżka i stawia na nogi.

– No, wyciągaj kopyta, Kaziu – mówi pieszczotliwie.

– Gdzie idziemy? – pytam ospale.

– Gówno ci do tego – słyszę gniewny pomruk. – No, idziesz sam, czy mam ci pomóc?!

– Idę już, idę...

Idziemy przez korytarz. Mijamy kilka salek, gabinet lekarski i zatrzymujemy się przed drzwiami bez klamki. Pielęgniarz wkłada w otwór trójkątny klucz, manipuluje przy zamku i drzwi ustępują. Oto jawi się przede mną inna rzeczywistość. Jesteśmy w przestronnym hallu. Na miękkich fotelach pod palmami siedzi kilku chorych w szlafrokach. Dobiegają mnie strzępy ich rozmów. Nie ma jednak czasu na przysłuchiwanie się, o czym mówią. Osiłek bezceremonialnie chwyta mnie za ramię i popycha przed sobą. Mijamy kiosk z gazetami, palarnię. Hall kończy się. Stajemy przed oszklonymi drzwiami opatrzonymi napisem „Oddział psychoz endogennych". Tym razem u drzwi jest zwyczajna klamka. Pielęgniarz otwiera drzwi i puszcza mnie przodem. Znów korytarz. Po korytarzu snują się chorzy, jedni w piżamach, inni w cywilnych ciuchach. Zatrzymujemy się przed drzwiami z gabinetu lekarskiego.

– Zaczekaj tutaj. – słyszę.

Gruby pielęgniarz puka i zagląda do gabinetu, mówiąc do kogoś, kto jest w środku:

– Przyprowadziłem go.

– Bardzo dobrze – dobiega mnie przytłumiony głos z gabinetu. – Niech go pan wprowadzi, panie Wacku.

Osiłek bezceremonialnie wpycha mnie do środka i wycofuje się po wojskowemu stukając obcasami.

Za biurkiem siedzi lekarz, niemłody mężczyzna o pospolitej, trudnej do zapamiętania twarzy. Wygląda na zmęczonego. Co chwila przeciera zaczerwienione oczy i mruga powiekami. Gestem wskazuje mi krzesło naprzeciw biurka. Siadam. Lekarz, tłumiąc ziewanie, zaczyna przypatrywać mi się badawczo. Czuję na sobie zimne, świdrujące spojrzenie. Spojrzenie każdego psychiatry przeznaczone dla każdego pacjenta.

– Nazwisko.

– Majer – odpowiadam.

– Dobrze!

Lekarz mruga do mnie porozumiewawczo lewym okiem i kiwa głową, zupełnie jakby przeprowadził mi jakiś wyrafinowany test, który wypadł nadspodziewanie dobrze. I znów puszcza do mnie oko i potrząsa głową. Zorientowałem się, że jak na kiepskim filmie o wariatach ten lekarz ma po prostu nerwowy tik.

Rozpoczęło się rutynowe badanie. Pytania o datę, zawód, poczucie choroby, czy wiem, gdzie teraz jestem i tym podobne rzeczy. Szczególnie długo wypytywał mnie o głosy, co każą mi robić, czyje to są głosy, a wreszcie uczepił się wizji: czy widzę jakieś dziwne postacie? Czy widzę coś, co mnie przeraża?

Odpowiadałem zgodnie z moją wiedzą: głosy opisałem jak należy, ale jeśli chodzi o wizje – konsekwentnie zaprzeczałem ich istnieniu.

W końcu przestał mnie wypytywać, popatrzył na mnie jakoś tak szczególnie przenikliwie, puścił oko, kiwnął głową i zapytał:
– Pan mnie chce oszukać? – i mrugnął okiem aż dwa razy. Zaniemówiłem z wrażenia. Zrobiło mi się gorąco. Gdzieś popełniłem błąd tylko gdzie?! Jak to możliwe, by ten znerwicowany lekarz, chodzący kłębek nerwów i tików który sam powinien się leczyć, rozgryzł mnie tak łatwo, po kilkunastu minutach rozmowy, podczas gdy ani podwójny WISKAD, ani wszyscy dotychczas badający mnie lekarze razem wzięci nie zorientowali się, że symuluję? Oto jestem wreszcie na oddziale schizofreników, z dala od obserwacyjnej „przejściówki", mam wreszcie okazję zobaczyć, jak wyglądają prawdziwe schizofrenie, i co? I nic? A co powie Zimiński, jak wyda się, co tu robię?

Wlepiam w lekarza przerażone spojrzenie i nerwowo przełykam ślinę, gorączkowo usiłując znaleźć linię obrony, ale nic rozsądnego nie przychodzi mi do głowy.
– Dlaczego chce mnie pan oszukać? – mówi lekarz z tikami i patrzy na mnie swym świdrującym wzrokiem zdolnym przewiercić człowieka na wylot i pewnie by mnie przewiercił, gdyby nie tik, mrugnięcie, które rozładowuje napiętą do granic możliwości sytuację i podważa jej powagę.
– Ja... – mówię – ja pana nie oszukuję, panie doktorze, ja...
– Dlaczego pan mówi, że pan nie widzi żadnych zagrażających panu postaci, skoro pan je widzieć musi?
– Ale – mówię i oddycham z ulgą: jemu nie chodzi o to, że symuluję chorobę, ale że symuluję zdrowie – ale ja – odpowiadam zgodnie ze swą podręcznikową wiedzą o schizofrenii – ja naprawdę nie widzę żadnych postaci.
– Nie widzi pan? – mówi lekarz i zasępia się wyraźnie. – Szkoda. A myślałem, że chociaż pan... No nic, to o czy my... – i znów: mrugnięcie, kiwnięcie głową, i rozmowa toczy się dalej. Wreszcie

po kwadransie skończył mu się koncept, wezwał pielęgniarkę i polecił, by odprowadziła mnie na salę.

Gdy szliśmy korytarzem, zastanawiałem się, o co mu chodziło z tymi postaciami. Czyżby o halucynacje wzrokowe? Na ogół halucynacje chorych sprowadzają się do różnych głosów, wizje to rzadkość, a tym bardziej wizje ruchome. Tymczasem z przebiegu rozmowy wynikało, że chodziło mu przede wszystkim o żywe postacie, jakieś potwory, nierealne, tchnące grozą wydarzenia i tym podobne rzeczy. Domyślam się, że podejrzewał mnie o zespół oneiroidalny, rzadką postać schizofrenii, gdy chory przeżywa barwny i plastyczny sen wkomponowany w jawę. W literaturze opisano zaledwie kilka takich przypadków. Czyżby ten rozlatany od tików lekarzyna szukał sławy? Chce opisać następny przypadek? Obronić na starość doktorat? A może chce zostać profesorem?

Siostra, doskonale nijaka, podobnie jak tamten starszawy lekarz, o trudnej do zapamiętania twarzy, wprowadza mnie do czteroosobowej sali.

– Dzień dobry – mówię.

W odpowiedzi trzy głowy podniosły się z poduszek i sześć par oczu wlepiło się we mnie w pełnym napięcia oczekiwaniu. Poczułem się nieswojo. Trzech niemłodych już mężczyzn w rozchełstanych piżamach, o dzikich oczach i długo nie golonym zaroście, przez co byli do siebie bardzo podobni, obserwowało mnie bacznie, nie racząc nawet odpowiedzieć na moje powitanie. Rzecz nie do pomyślenia w zwyczajnym szpitalu, gdzie nowego chorego przyjmuje się jak towarzysza niedoli i od razu zasypuje pytaniami: a co, a jak, a gdzie, by później wywiązała się nieunikniona rozmowa o chorobach, metodach leczenia i oczywiście lekarzach.

– To jest pańska sala – mówi siostra – sala numer trzynaście.

Pechowa, myślę i mówię:
– Kto jest ordynatorem na tym oddziale?
– Profesor Zimiński – mówi siostra, a ja oddycham z ulgą: teraz wszystko nareszcie się wyjaśni. Będzie kontakt, będzie pomoc. Nawet gdyby o mnie zapomniał, nie omieszkam mu przypomnieć. Od razu poczułem się pewniej.

Siostra wychodzi, a moi trzej współtowarzysze z sali przypatrują mi się nieufnie.

Kładę się na wolnym łóżku przy drzwiach. Czuję się obserwowany. Ponieważ zrobiłem już pierwszy krok, a oni nie zareagowali, postanawiam się nie narzucać. Któż to wie, co może im strzelić do głowy. Może są tak samo agresywni jak chorzy na obserwacyjnym?

Starając się na nich nie patrzyć, choć czuję na sobie ich ciężkie, nieprzyjazne spojrzenia, zaczynam układać w szafce swój skromny dobytek: grzebień, woreczek z przyborami toaletowymi, elektryczną maszynkę do golenia (niestety zepsuła się już pierwszego dnia pobytu), ręcznik i bieliznę oraz skarpetki na zmianę, a także notes i długopis. Zastanawiam się, czy to bezpieczne, bo a nuż któryś zechce przeczytać moje zapiski, ale jeśli zacznę chować notes pod prześcieradło albo nosić wciąż przy sobie, od razu wyda się to podejrzane i mogliby koniecznie chcieć się dowiedzieć, jaki skarb tak przed nimi chronię. Wystarczyłaby chwila nieuwagi i mogłyby wyniknąć duże kłopoty. Postanowiłem rozejrzeć się po oddziale w poszukiwaniu jakiegoś bezpiecznego schowka.

Gdy skończyłem układać rzeczy w szafce, położyłem się, dyskretnie rozejrzałem i napotkałem wlepione we mnie trzy nieruchome spojrzenia.

Pokręciłem się trochę na łóżku. Ponieważ o zaśnięciu nie było mowy, a dość już miałem tej napiętej atmosfery wypełnionej wrogim milczeniem, więc wstałem i wyszedłem na korytarz.

Mijam rząd pustych krzeseł przed gabinetem lekarskim i grupkę foteli przy dwóch przepełnionych popielnicach na nóżce. Potem jeszcze dwa automaty telefoniczne i oto napotykam wyjście: duże, przeszklone drzwi z normalną klamką. Rozglądam się niepewnie. Korytarz nadal jest pusty. Chwytam za klamkę. Drzwi otwierają się. Wychodzę do hallu. Mijam kiosk z gazetami i dostrzegam schody. Idę w dół. Znowu hall, ale tym razem olbrzymi. Palmy, marmury. Już sobie przypominam. Obok będzie szatnia. A tutaj wyjście z budynku szpitala. Park. Brama. A za bramą...

– Gdzie?!

Drzwi wejściowe nie mają klamki. Szatniarz, który może uruchamiać elektromagnetyczny mechanizm otwierania drzwi, patrzy na mnie ze złością. Uśmiecham się przepraszająco.

– No, gdzie?! Jazda z powrotem, świrusie jeden!

Uśmiech natychmiast znika mi z twarzy. Kipi we mnie wściekłość, ale przygryzam wargi. Posłusznie odstępuję od drzwi. Zresztą pewnie na dworze jest zimno, to przecież październik i w piżamie, gdyby nawet udało mi się wyjść, zmarzłbym natychmiast. Tymczasem szatniarz, krewki rencista, nie daje za wygraną. Krzyczy coraz głośniej:

– No już, cholero! Idziesz stąd, czy nie?!

Coś we mnie pęka. Zresztą mam status chorego. Nic mi zrobić nie mogą. Rzucam się w kierunku szatniarza i zanim zdążył odskoczyć od lady, chwytam go za klapy fartucha.

– Ach ty dziadu! Myślisz, że kto ty jesteś, żeby ubliżać człowiekowi?! Ty...

W tej samej chwili rozlega się ogłuszający dźwięk syreny. Zdezorientowany puszczam szatniarza, który w okamgnieniu, kwicząc ze strachu, rzuca się w głąb i skrywa za wieszakami. Do hallu wpadają dwaj sanitariusze.

– Tutaj!! – wydziera się szatniarz wyglądając zza ubrań. – Rzucił się na mnie!

Bez zbędnych komentarzy sanitariusze doskakują do mnie i – zanim się zorientował – już prowadzą mnie, zgiętego wpół, z wykręconą boleśnie ręką.

Jak przewidziałem, dostałem zastrzyk z relanium i dodatkowo porcję jakichś tabletek. Tabletki zręcznie wyplułem, ale na zastrzyk metody nie było.

Znów to piekielne pragnienie, suchość w ustach, wewnętrzne rozbicie. Skoro chciałem być traktowany jak pacjent, mam czego chciałem. Jestem półprzytomny od końskiej dawki relanium, gardło piecze, język sztywny, więc usiłuję wstać, by napić się wody z kranu, zbieram się w sobie, chcę się podnieść, wykonuję odpowiedni ruch i nagle z przerażeniem uświadamiam sobie, że coś mnie trzyma. Resztki snu ulatniają się w okamgnieniu. Wrzucili mnie w pasy!... Daremnie poruszam rękami i nogami. Troczki trzymają mocno. W końcu daję za wygraną. Zrezygnowany opadam na poduszki i zamykam oczy.

Salowa przynosi śniadanie. Wszyscy na sali pałaszują, a ja, choć po zastrzyku z relanium mam ochotę co najwyżej na picie, leżę jak kłoda przywiązany do łóżka i tylko pożądliwie patrzę na kubek z płynem, prawdopodobnie cieniutką herbatą, którą salowa stawia na mojej szafce razem z lichym, szpitalnym śniadaniem.

– Pić – mówię, a raczej ledwo chrypię przez wyschnięte gardło.

– O mój bidaku – mówi salowa – i jak to cię związali, jak wieprzka jakiego!... Dam no ja ci pić, kochanieńki, czckej-no, czekej...

I stara, prosta kobiecina, salowa za lichutką pensję, lituje się nade mną, asystentem Walasa, i łyżeczką podaje mi lurowatą herbatę, którą chłonę w siebie jak ambrozję.

– Ino nie tak łapczywie, synku, ino nie tak łapczywie, bo nie nadążam – mamrocze podając mi herbatę łyżką. – A nie zjesz, synku, bułeczki z marmoladą? Dobra marmolada, dobra i pożywna...

Kręcę głową, że nie, że tylko pić mi się chce, więc poczciwa salowa dalej poi mnie herbatą.

Po herbacie zdecydowanie odżyłem i tylko te pasy, szczególnie dotkliwa sankcja wobec zdrowego człowieka, doprowadzają mnie do rozpaczy i wściekłości. Co ja takiego zrobiłem, żeby zakwalifikowali mnie jako niebezpiecznego schizofrenika i ubezwłasnowolnili? Uważają, że jestem dla otoczenia niebezpieczny, niebezpieczniejszy niż na przykład moi towarzysze z sali? Co ciekawe: odkąd się tu znalazłem, żaden nie odezwał się ani słowem. Nafaszerowani lekami, otępiali, autystyczni, a jednocześnie gdzieś w głębi bardzo agresywni, czuję to doskonale – są widocznie mniejszym zagrożeniem niż ja, skoro oni leżą wolni, a ja związany.

Zaraz po śniadaniu rozpoczął się obchód. Tupot wielu nóg i gwar rozmów na korytarzu wyraźnie sugerował godzinę dziewiątą. Jeżeli istotnie Zimiński jest ordynatorem tego oddziału, to po pierwsze na pewno mnie rozpozna, a po drugie każe uwolnić z pasów. I rzeczywiście na obchodzie po raz pierwszy od czasu przyjęcia mnie do szpitala ujrzałem Zimińskiego. Ucieszyłem się i wreszcie poczułem bezpieczny, chociaż nie dał mi w jakikolwiek sposób do zrozumienia, że mnie rozpoznaje. Wypytywał tego lekarza z tikami, który wczoraj przyjmował mnie na oddział: „jaki jest stan chorego?, jakie środki?”. Kamienna twarz, obojętne spojrzenie i żadnej żywszej reakcji na mój widok. A może – i aż skóra mi ścierpła – jednak mnie nie poznał, nie skojarzył, zapomniał?!

– A dlaczego chory leży w pasach? – mówi z jakby większym zainteresowaniem.

– Chory wczoraj rzucił się na szatniarza – wyjaśnia lekarz z tikami. – Chciał uciec ze szpitala.

– Uciec? – mówi Zimiński i po raz pierwszy uśmiecha się. – No, no!... – i zwraca się do mnie: – Pan naprawdę chciał uciec?

– Wcale nie – mówię.

– To dlaczego pobił pan szatniarza?

– Wcale go nie pobiłem. Chwyciłem go tylko za fartuch. Ubliżał mi i bluźnił. Chciałem nauczyć go szacunku do człowieka. Zapanowała ogólna wesołość.

– Szacunku do człowieka? – upewnia się lekarz z tikami.

– Właśnie.

– Pan Kazio panu naubliżał? – nie dajc za wygraną lekarz z tikami. – To taki miły, starszy pan...

– Może dla zdrowych i lekarzy – mówię.

– W każdym razie – wtrąca się Zimiński – wydaje mi się, że chory jest kontaktowy i nie sprawia wrażenia agresywnego. Myślę, że można go uwolnić.

Lekarz z tikami, widocznie mój prowadzący, kiwnął głową, że dobrze i obchód powędrował dalej. Po kolei zajmowano się pozostałymi pacjentami, ale mało mnie to interesowało. Zastanawiałem się bowiem, czy Zimiński na pewno mnie poznał. Sam już nie wiem... Albo mnie nie poznał, albo aż tak dobrze potrafił się opanować, że z twarzą pokerzysty potraktował mnie jak najzwyklejszego pacjenta. Chciałem tego, ale... Sam już nie wiem, co o tym myśleć...

Po godzinie zjawił się pielęgniarz i uwolnił mnie z pasów. Spojrzałem na niego z wdzięcznością i zacząłem rozcierać zdrętwiałe przeguby rąk. Pielęgniarz przez chwilę przypatrywał mi się obojętnie, po czym rzekł:

– Proszę za mną.

– Gdzic? – spytałem odruchowo.

– Do ordynatora – wyjaśnił. – Idziemy.

Więc jednak mnie poznał! Teraz już nie mam wątpliwości. Przez cały czas dręczyły mnie myśli, co będzie, gdy z jakichś powodów zapomni o mnie albo nie uda mi się trafić na jego oddział. Chce się ze mną widzieć, więc mogę odzyskać kontrolę nad sytuacją. Nie wiem czemu ostatnio nawiedzały mnie ponure wizje, że zapomniany przez wszystkich wsiąknę w masę pacjentów.

– Rzeczywiście – mówi Zimiński – mógł pan, kolego, mieć takie obawy, ale oddział obserwacyjny prowadzi docent Wierzbowski. Dziwne by było, gdybym tam pana odwiedzał. Za to dzięki tej niepewności bardziej czuł się pan jak prawdziwy pacjent, nieprawdaż? – i uśmiecha się ironicznie.

– W każdym razie cieszę się, że wszystko się wyjaśniło – mówię. – Faktycznie, miałem już pewne obawy...

– W gabinecie czujemy się lepiej niż na sali, prawda?

– To był koszmar.

– Drogi kolego – mówi – uprzedzałem pana lojalnie i Markowi też to mówiłem: to absurd. Ale skoro pan się upierał... I mówi pan, że niczego ciekawego pan się nie dowiedział?

– Niczego – mówię. Brak mi jakiegokolwiek kontaktu z chorymi. Kompletny autyzm. Wrogość. Nabawiłem się tylko strachu przed agresją pacjentów.

– Nie chcą z panem rozmawiać?

– Wcale. Za to wyraźnie są do mnie wrogo nastawieni, jakby wyczuwali, że nie jestem jednym z nich, tylko ich obserwuję. Efekt jest taki, że zacząłem się ich bać.

– A nie przeżywał pan tego dotąd? Jako student? Jako początkujący lekarz? Ta obawa przed nieznanym obliczem zachowań chorego?

– Nie – mówię. – Dopiero teraz uświadomiłem sobie potencjalne zagrożenie z ich strony. Ale zagrożenie tylko dla mnie, rzekomego pacjenta. Jako lekarz nadal staram się wierzyć w potęgę stojącej za nami medycyny.

– Potęgę!... – prycha Zimiński. – A cóż to jest za potęga!... Staramy się łagodzić skutki i to wszystko. Ten, kto odkryje, na czym polega schizofrenia, z pewnością dostanie Nobla. Zresztą pan sam wie najlepiej, na czym polega psychiatria. To bardziej pole dla popisu dla etyka i filozofa niż dla klinicysty żądnego konkretnych efektów konkretnej terapii. Więc co, nie chcieli zamienić z panem nawet paru zdań?

– Nic. Absolutnie nic. Żadnego kontaktu. Niestety muszę przyznać panu rację. Ten eksperyment nie miał sensu.

– Mówi pan „miał" jakby był zakończony.

– A nie jest? Wydaje mi się, że nie warto dalej go ciągnąć. To tylko strata czasu. Nie udało mi się dowiedzieć absolutnie niczego. Zanim tu przyszedłem, wydawało mi się, że lepiej poznam świat doznań chorych jako pacjent niż jako lekarz. Teraz wiem, że się myliłem. Podjąłem ryzyko i przyznaję się do błędu.

– Co w związku tym?

– Cóż – mówię – myślę, że mógłbym już stąd wyjść.

– Rozumiem pańską niecierpliwość – wzdycha Zimiński – ale muszę panu uświadomić, że to nie takie proste. Chciał pan udawać chorego? Chciał. Udawał pan? Udawał i to aż tak dobrze, że z obserwacyjnego ma pan rozpoznanie wstępne *schizophrenia paranoides*. Ledwie pan przyszedł na oddział psychoz endogennych, już założyli panu pasy. Myśli pan, że skoro chciał pan udawać chorego i robił pan to z dobrym skutkiem, mogę ot tak po prostu pana wypuścić, mówiąc że jest pan zdrów jak ryba? Przestrzegałem przed takimi konsekwencjami zbytniego wczuwania się w rolę. Nie usłuchał pan. Więc nie pan teraz da mi trochę czasu. Na razie zapowiedziałem, że pański przypadek interesuje mnie szczególnie jako materiał do skryptu, nad którym właśnie pracuję. Formalnie jest pan pod moją opieką. Tyle mogłem zrobić. Ale niech pan nie żąda cudów. Skoro pan chciał być pacjentem, musi pan jeszcze uzbroić się w cierpliwość.

– Jak długo?

– Miesiąc. Może półtora. Nie mogę powiedzieć: nasz chory nagle ozdrowiał i może wyjść. Pan jako lekarz wie o tym doskonale. Toteż musi się pan jeszcze trochę pomęczyć. Tylko niech pan nie rzuca się więcej na szatniarzy. Demonstracje tylko pogarszają sytuację.

– Denerwuje mnie chamstwo. Czasem nie potrafię się opanować.

– A powinien pan. Niech pan mimo wszystko spróbuje i ułatwi mi zadanie. Agresywny chory nie wyjdzie stąd, dopóki nie wyzdrowieje. – Zimiński wzrusza ramionami. Nagle ożywia się i dodaje: – A personel? Jak pan postrzega zachowanie naszych sióstr i pielęgniarzy? Ciekaw jestem, bo tylko pan może obiektywnie to przedstawić.

– Jak ich oceniam? W zasadzie dobrze. Może tylko pielęgniarze są trochę za ostrzy.

– Dziwi się pan?

– Nie – mówię. – Porządek musi być. Tylko ten oddziałowy na obserwacyjnej...

– Pan Wacek, tak?

– Właśnie – mówię. – Ordynarny brutal.

– No cóż, na obserwacyjnym jest niezastąpiony. Tam jest najciężej. To prawdziwe przedpiekle.

– Domyślam się.

– No dobrze – mówi Zimiński. – A jeśli chodzi o pana: spróbuję przenieść pana do jakiejś ciekawszej sali, żeby aż tak się panu nie nudziło. Do bardziej kontaktowych chorych. Musi się pan jeszcze trochę uzbroić w cierpliwość. Od czasu do czasu będziemy się spotykać, panie Jurku.

– Andrzeju – mówię.

– Słucham? – podnosi na mnie zdziwiony wzrok.

– Mam na imię Andrzej – mówię.

– A tak – mówi. – Rzeczywiście. Przepraszam. Przejęzyczenie.

Zimiński wezwał pielęgniarkę i polecił, by odprowadziła mnie do dwójki. Siostra, doskonale nijaka, o trudnej do zapamiętania twarzy, wprowadza mnie do czteroosobowej sali, gdzie tylko dwa łóżka były zajęte.

– To jest pańska sala – mówi siostra – Numer dwa.

Siostra wychodzi, a moi dwaj współtowarzysze z sali, uloko-wani na łóżkach stojących pod oknem moje miało być przy drzwiach – przypatrują mi się z zainteresowaniem. Takiego zain-teresowania w oczach chorych nie widziałem już od dawna. Może wreszcie coś się zmieni i zechcą podjąć jakąś rozmowę?...

– Heil Hitler! – mówi jeden, stosunkowo młody, w niechluj-nej piżamie, porządnie obrośnięty, widać nie dają mu jeszcze żyletki albo hoduje brodę i wąsy z upodobania.

Nie wiem, co mam odpowiedzieć, więc na wszelki wypadek odwzajemniam jego pozdrowienie.

– Heil Hitler! – i salutuję mu wyciągniętą w górę ręką.

– Niech pan patrzy, panie doktorze – mówi „hitlerowiec" do tego drugiego, który nie spuszcza ze mnie wzroku – co za wariat! On myśli, że wojna się jeszcze nie skończyła.

Wzruszam ramionami i kładę się na swoim, wskazanym mi przez pielęgniarkę łóżku. Mimo wszystko jestem jednak zadowo-lony. Chorzy są syntoniczni, a więc kontaktowi i dość rozmowni. Może przynajmniej na tej sali uda mi się z kimś porozmawiać, wziąć kogoś na spytki i wniknąć w niepoznawalną dotychczas głębię schizofrenicznych doznań. Jest przynajmniej jakaś nadzieja...

– No to jak? – mówi do mnie „hitlerowiec", tak go bowiem nazwałem w myślach.

– Zamknij się, głupku – mówi ten drugi.

Hitlerowiec milknie, a ten drugi przygląda mi się w skupieniu. Też mu się przyglądam. Ten dla odmiany leży na łóżku przykryty kocem, obłożony jakimiś książkami. Ma na sobie luźny sweter z golfem. Sympatyczny i zadbany mężczyzna nie pierwszej już młodości, ale i nie stary. Z wyglądu mógłby być albo tuż przed czterdziestką, albo tuż po. Nie mogę oprzeć się wrażeniu, że nie wygląda na chorego psychicznie. Tymczasem pacjent ów wciąż na mnie patrzy, mierzy mnie wzrokiem od stóp do głów, aż wreszcie mówi:

– Na chorego, bratku, nie wyglądasz.

Nie wiem, co mam odpowiedzieć. Skąd mu to przyszło do głowy? Może pacjenci jakoś intuicyjnie wyczuwają, że jest wśród nich ktoś zdrowy? To by tłumaczyło wyżywanie się na mnie tych wszystkich chorych na oddziale obserwacyjnym. Patrzę na niego i – co najdziwniejsze – ja też mam wrażenie, że nie jest to zwykły wariat. Wcale nie wygląda na chorego. I już wiem, po czym można to poznać: po oczach. Chorzy, naprawdę chorzy i naprawdę leczeni, mają takie oczy nie tylko z powodu samej choroby, ale również – a może przede wszystkim – po lekach. No i ruchy. Powolne, ospałe. A ten mężczyzna – nic z tych rzeczy. Ruchy ma szybkie, pewne, precyzyjne.

– Symulujesz? Nic się nie bój – mówi. – Ja też tu leżę, więc nikomu nie powiem. Co symulujesz?

– Ciekawski się znalazł! Jestem chory jak wszyscy – mówię.

– Jak ty się odzywasz do pana doktora?! – odzywa się hitlerowiec.

– Zamknij mordę, Goebbels – mówi ten drugi i zwraca się do mnie. – Tabletek, widzę, nie bierzesz. Na chorego nie wyglądasz. To co tu właściwie robisz?

– Odpowiedz panu doktorowi jak pyta – mówi hitlerowiec, ale pod karcącym spojrzeniem tego drugiego posłusznie milknie.

– Ty naprawdę jesteś lekarzem? – mówię.

– „Naprawdę" to słowo względne. Prawda jest okrągła i ma dwa końce. Jeden lepszy, a drugi jeszcze gorszy – mówi i widząc, że robię zdumioną minę, dodaje: – To był taki żart. Żart werbalny, rozumiesz? Rozumiesz, co to jest żart werbalny? Dobrze, więc jeśli cię to uspokoi, to owszem: jestem lekarzem.

– Cóż, choroba nie wybiera – zauważam filozoficznie.

– Tu żeś, kolego, powiedział głupio. Głupio jak but. Niby taki rozsądny, a tu coś takiego... I jak tu ci wierzyć?

– Powiedziałem coś nie tak?

– Nie wiem, z jakiego powodu tu jesteś, ale skoro nie jesteś chory, to pewnie jesteś tu z tych samych powodów co ja.

Nastawiam ciekawie uszu, ale zamilkł i wlepił we mnie przenikliwe spojrzenie, zupełnie jak prawdziwy lekarz, który chce postawić diagnozę. Wszystko to wydało mi się trochę niesamowite i podejrzane.

– Ty też – mówię – nie wyglądasz na chorego. Więc jeśli mówisz, że jesteś lekarzem, to co ty tu robisz?

– To dobre pytanie. Słyszałeś o psychuszce? Mówi ci to coś?

Niemożliwe, myślę. Więc on tu jest z powodów politycznych?! Dzisiaj?! Więc dziś też jeszcze to robią?! A może jest tu od dawna, a teraz po prostu nie ma jak wyjść? No ale przecież każdy widzi, że sprawia wrażenie zdrowego. Albo jednak naprawdę jest chory. Psychuszka!... Patrzę na niego nieufnie.

– A jaką masz – mówię – specjalność lekarską?

Patrzy na mnie i uśmiecha się.

– Nie uwierzysz, jak ci powiem.

– No więc?

– Jestem, uważaj koleś: psychiatrą.

To już wydało mi się całkiem nieprawdopodobne. Ale nietrudno będzie to sprawdzić.

– Powiadasz, że jesteś psychiatrą? – uśmiecham się drwiąco.

– Pierdoli, pierdoli, pierdoli – mówi Goebbels i rechocze po swojemu schizofrenicznym śmiechem bez wesołości, smutnym, a zarazem tragicznym. To mi wystarcza. Bez karty choroby, bez wywiadu, bez szczegółowych badań już wiem, z kim mam do czynienia. Hebefrenia.

– Zamknijże do jasnej cholery mordę, Goebbels! – mówi ten drugi – bo jak nie, to wznowimy Norymbergę. Zakatrupią cię na śmierć, pamiętasz?

– Pamiętam – mówi Goebbels i zwiesza nos na kwintę.

– Jestem psychiatrą – mówi ten drugi – a zresztą czy to takie ważne? Tu każdy jest tym, kim mu się wydaje, że jest. Goebbels jest Goebbelsem i kit mu na monogram. To pieprzony wariat. No nie, Goebbels? Jesteś wariatem, czy nie?

– A mam być? – mówi Goebbels.

– Masz być – mówi ten drugi – bo jesteś!

– No to jestem – mówi Goebbels – he, he!

– I taka to z wariatami mowa – mówi ten drugi.

– Jeśli jesteś psychiatrą – mówię i uśmiecham się złośliwie – powiedz mi, co to jest zespół morii?

– Chodzi o zespół guza płata czołowego? Zmiany osobowości, euforię, powierzchowność osądów i niefrasobliwość albo o objawy spowolnienia psychicznego i stanu apatyczno-abulicznego?

Zaskoczył mnie, ale nie daję za wygraną. Wygrzebuję z pamięci kolejne podręcznikowe definicje. W głowie mi się nie mieści, by ten człowiek naprawdę był psychiatrą.

– Jakie są podstawowe grupy psychoz padaczkowych?

– Po pierwsze: psychozy z jakościowymi zaburzeniami świadomości w postaci stanów pomrocznych i majaczeń, po drugie: psychozy z kręgu cyklofrenicznego w postaci objawów depresyjnych, po trzecie... Zaraz, chwileczkę, kogo ty, koleś, chcesz egzaminować, mnie?!

– W porządku – mówię – wystarczy. Co pan tu robi, doktorze? O co tu tak naprawdę chodzi?

– Pierdolić Hitlera! – ni stąd ni zowąd odzywa się Goebbels.

– Norymberga! – mówi ten drugi, autentyczny psychiatra, jestem już tego pewny, tylko co on tu robi? Eksperymentuje? Tak jak ja? – zaś Goebbels nakrywa głowę poduszką i znika nam z pola widzenia.

– Deutschland, Deutschland über alles – śpiewnie zawodzi psychiatra, a Goebbels chowa się cały pod kołdrą i na dobre wyłącza z udziału w naszej rozmowie. Istny dom wariatów. Przestaję już cokolwiek rozumieć.

Naraz jednak psychiatra patrzy na mnie spojrzeniem, w którym zabłysła jakaś odkrywcza myśl.

– Zaraz, zaraz, chwileczkę!... – mówi. – Dotychczas ja też miałem wątpliwości, z kim mam do czynienia, ale teraz już nie. Zadajesz dobre pytania. O ile się nie mylę, jesteśmy kolegami po fachu, prawda?

Takiego obrotu sprawy nie przewidziałem.

– Ależ skąd – mówię. – Jestem... jestem elektrykiem.

– Bujać to my, ale nie nas – mówi i puszcza do mnie oko. – W porządku panie doktorze. Rozgryzłem pana. Może się pan już ujawnić.

Czyżby się domyślał? Chce mnie sprawdzić? A może myśli, że to ja go sprawdzam? W każdym razie wszystko to jest co najmniej dziwne.

– Nie jestem lekarzem – mówię myśląc o skandalu, jeśli cokolwiek się wyda, o Walasie i Zimińskim. Ich też trzeba chronić. – Pan się myli.

– Dajmy spokój tym konwenansom – mówi. – Tu nie Wersal, ale zwyczajny dom wariatów. Mów mi Marek. Tak będzie prościej. A Goebbels to Goebbels. Trochę jest dokuczliwy, ale nie ma wyboru: leży to leży. Dobrze, że odtąd będzie z kim rozsądnie porozmawiać. No, co tak milczysz? Jakże masz na imię, doktorku?

– Już mówiłem, że z medycyną nie mam nic wspólnego.

– Ale imię pewnie masz – mówi Marek.

– Andrzej – mówię.

– No widzisz, Andrzej. Niech ci będzie Andrzej. Przyszedłeś mnie zbadać?

Wściekły, bo nie wiem co powiedzieć, tym bardziej, że jest święcie przekonany, iż jestem lekarzem i symuluję, co zresztą jest prawdą, odwracam się do ściany na znak, że rozmowa skończona, choć pali mnie ciekawość, co z kolei on tu robi, jeśli naprawdę jest psychiatrą. Eksperyment? Choroba zawodowa? Zresztą licho wie. W końcu i tak mi o tym powie.

– No, doktorku – słyszę – nie pogadamy?

– Daj mi spokój, człowieku – mówię i przymykam powieki. Na dziś mam już dość.

Obudziło mnie szczęknięcie drzwiczek od mojej szafki. Ujrzałem Marka, który manipulował przy szufladzie.

– Ty złodzieju! – syknąłem i znienacka chwyciłem go za rękę. I wtedy zobaczyłem, że trzyma w dłoni moje zapiski.

– W porządku – mówi Marek – ale musiałem wiedzieć. Przeczytałem jak spałeś, a teraz chciałem ci oddać.

– Ach ty!...

– Spokojnie!... Myślałem, że jesteś nasłany przez personel, żeby mnie szpiegować. Przeczytałem wszystko i zwracam honor. Nikomu nic nie powiem, możesz być spokojny. Słowo. Tajemnica lekarska.

– Ale jak śmiałeś!... I skąd wiedziałeś, gdzie szukać?!

– Nie wrzeszcz tak, bo obudzisz cały oddział!... Widziałem, jak to chowasz. Teraz już wszystko wiem i ja też mogę być z tobą szczery. Jutro pogadamy o wszystkim. Zrozum, musiałem to przeczytać.

– Gówno mi po twoich przeprosinach – mówię wściekły. – Jeżeli coś się wyda...

– Cicho!... – słyszę jego zduszony szept – bo wszystkich obudzisz!... Mówiłem ci: psychuszka. Pogadamy jutro. Wszystko ci opowiem. Ale teraz śpijmy, bo możemy narobić sobie kłopotów. Tabletki można wypluć, ale przed zastrzykiem nie ma obrony. Jedziemy na jednym wózku. Ty i ja nie lubimy „leczenia", prawda?

Marek wrócił na swoje łóżko, a ja długo przewracałem się z boku na bok, rozmyślając co to wszystko znaczy, a przede wszystkim, czy grozi mi z jego strony jakieś niebezpieczeństwo, skoro już wie, że symuluję i udaję schizofrenika, w rzeczywistości będąc po prostu obserwatorem szpitalnego życia.

Marek przez cały ranek spał jak zabity. Wysiłki pielęgniarek, by go obudzić, okazały się daremne. Owszem, otwierał na chwilę oczy, spełniał polecenia, ale potem nieomal natychmiast zapadał na powrót w głęboki sen. Podobnie było podczas obchodu. Poszturchiwany za ramię, ledwie raczył odemknąć oczy, coś tam mruknął, wpółsennie odpowiedział na parę pytań zadanych przez lekarza i znów zapadł w sen.

Gdy obchód opuścił naszą salę i przeszedł do następnej, Marek spał w najlepsze. Pamiętając o czym mówił poprzedniego dnia, chciałem z nim koniecznie porozmawiać, ale choć próbowałem obudzić go szarpiąc za ramię, Marek nie zamierzał bynajmniej wstać. Mruczał tylko coś przez sen i oganiał się ode mnie jak od natrętnej muchy. Toteż w końcu machnąłem ręką i dałem za wygraną. A ponieważ nudziłem się śmiertelnie, postanowiłem rozejrzeć się po oddziale.

Wychodzę na korytarz. Pusty. W prawo, czy w lewo? Zastanawiam się, dokąd iść. Na prawo są gabinety lekarskie, oczywiście sale z chorymi i na końcu przeszklone drzwi – wyjście z oddziału. Hol. Automaty telefoniczne. Kiosk. Schody. Szatnia... To już znam. Więc co, może w lewo?

Mijam opustoszałe sale z chorymi. W każdej z nich, widzę przez otwarte drzwi, leży jeden, co najwyżej dwóch. Resztę gdzieś wymiotło. Idę dalej, aż wreszcie natrafiam na przestronne pomieszczenie pełne ludzi. Oczywiście: świetlica. Bez wahania przestępuję jej próg. Stoi tam kilkanaście stolików, a przy każdym po cztery krzesła, jest też pokaźny rząd miękkich foteli poustawianych na wzór małej widowni przed telewizorem. W kątach olbrzymie palmy, których donice, widzę nawet z daleka, wypełnione są petami. Większość stolików okupują pacjenci, niektórzy w piżamach, niektórzy w normalnych ubraniach. Jedni grają w karty albo w damkę, inni po prostu rozmawiają, a jeszcze inni siedzą w fotelach i przeglądają gazety. Chyba stare, bo straszliwie wymiętoszone.

Nagle jak na komendę gwar cichnie. Czuję na sobie ciężar kilkunastu spojrzeń. Poczułem się nieswojo. Większość z tych ludzi – bo inni ciągle zajmowali się swoimi sprawami – nagle jak gdyby zjednoczyła się przeciw mnie, widocznie wyczuwając we mnie intruza, kogoś spoza ich grona. Skuliłem się w sobie.

– E, ty!

To jakiś tęgawy jegomość w powyciąganym swetrze kiwa na mnie palcem.

– Chodź no tutaj!

Z duszą na ramieniu przestępuję z nogi na nogę nie ruszając się jednak z miejsca.

– Chodź no, mówię!

Rozglądam się niepewnie, jakby szukając ze wszystkich stron ratunku. Czuję, że znów ogarnia mnie paraliżujący strach. Czego, do cholery, oni wszyscy ode mnie chcą?! Czy aż tak bardzo widać po mnie kim jestem i co naprawdę tu robię?

– To szpieg! – mówi nagle niepozorny człowieczyna w drucianych okularkach. – Poznaję go.

– Nie – mówi ten w swetrze – to jest diabeł! Tak wygląda diabeł! On potrafi wcielić się w każdą postać!

I wtenczas wybucha nieopisany rwetes. Większość z tych, którzy przedtem tak badawczo mi się przypatrywali, zaczyna wywrzaskiwać pod moim adresem najrozmaitsze obelgi i pogróżki. Przerażony rzucam się do wyjścia.

Pędzę po korytarzu wciąż oglądając się za siebie. Dopiero po dłuższej chwili, nie widząc za sobą pościgu, zwalniam kroku i powoli zaczynam się uspokajać. Nie mogę zrozumieć, o co im chodziło. Dlaczego aż tak się wyróżniam, że ściągam na siebie wściekłość i wrzask prawie wszystkich chorych? Jestem zdrowy, jestem obserwatorem, zgoda, ale jak oni to przeczuwają?! Przecież nie mam tego wypisanego na czole!..

Nikt mnie nie goni, więc przystaję. Oddycham ciężko, zmęczony biegiem, ale czuję ulgę. Jak zaszczuty pies, któremu udało się umknąć prześladowcom. Myślę o przewadze, jaką dawniej dawał mi biały fartuch, myślę o tym ciągle, aż do znudzenia. Jestem lekarzem, jestem lekarzem – powtarzam sobie w myślach, ale teraz to nic nie znaczy. Tamten świat zostawiłem za sobą.

Oddech powoli dochodzi do normy, serce zaczyna bić coraz bardziej miarowo. Jeszcze parę głębokich wdechów i uspokojony ruszam w drogę powrotną. Idę wolno. Nigdzie przecież się nie spieszę. Co jakiś czas zaglądam do mijanych po drodze sal. Może będzie można z kimś porozmawiać, choć nauczony doświadczeniem mam coraz mniejszą nadzieję, że uda mi się nawiązać z chorymi bliższy kontakt.

Wybieram salę na chybił-trafił. Postanawiam wejść do najbliższej. Skręcam z korytarza prosto ku otwartym drzwiom i...

...aż jęknąłem. W wejściu zderzyłem się z jakimś monstrualnym grubasem. Wpadliśmy na siebie z całym impetem. W dodatku nadziałem się łokciem na futrynę i sam już nie wiem, co boli bardziej: zdrętwiała ręka, czy nadwerężonc przy zderzeniu żebra.

– Uważaj, jak leziesz, koleś! – warknął grubas patrząc na mnie spode łba. Z wrażenie zapomniałem o bólu. Zapomniałem też o ostrożności i swojej sytuacji. Poniosło mnie.

– A co to ja, twój koleś?! – mówię. – Wiesz, kim jestem?!

– Wariatem! – mówi grubas i aż zarechotał z udanego dowcipu.

Nagle chwyta mnie za klapy od piżamy, przyciąga do siebie i syczy mi prosto w twarz, strzykając śliną:

– A ja jestem król. Rozumiesz? Król!

Nagle popatrzył na mnie jakoś tak dziwnie i dostrzegłem podejrzany błysk w jego przymulonych tabletkami oczach. Odechciało mi się wszelkich protestów i udowadniania czegokolwiek. Ten chory miał naprawdę argument nie do odparcia: potężną siłę stupięćdziesięciokilogramowego cielska nabitego mięśniami.

– A wiesz do czego są poddani? Do tego, żeby królowi służyć. Wiesz co, głupku? Wyglądasz mi na inteligentnego gościa, który umie wyczyścić tenisówki. Widzisz te tenisówki? – i zgina mój kark, bym przyjrzał się jego butom. – Będziesz je czyścił. Wytrzesz je namydloną szmatką, potem szmatkę wypłuczesz i zetrzesz tenisówki na mokro, a potem wytrzesz do sucha. Kapujesz, głupku? – i żebym skapował, uderzył mnie w żołądek.

Kucnąłem, nie mogąc złapać tchu.

– Kapujesz?!

– ...

Wciąż nie mogłem złapać tchu, więc tylko przewracałem oczami.

Dla pewności, że rozumiem, w czym rzecz i kto tu rządzi, grubas natarł mi uszu.

– Dziś po kolacji przyjdziesz do mnie po tenisówki, wyczyścisz i odniesiesz, żeby do rana wyschły – powiedział, pogłaskał mnie po głowie i dał kuksańca w żebra. – Pamiętaj, bo jak nie, to marny twój los!

Grubas wraca na salę.

Zbieram się z podłogi, obmacuję żebra – chyba nic poważnego, choć oddychać trudno – i przeklinając, na czym świat stoi, idę do swojej sali. Jeszcze kilka kroków i znów kilka, i powoli zaczynam dochodzić do siebie. Król oddziału!... Czyścić mu buty?! A co będzie, jeśli nie wyczyszczę? Może zapomni. Ostatecznie musi łykać końskie dawki środków. No a jeżeli nie zapomni?.. Taki osiłek może zrobić z człowieka mokrą plamę...

Zamyślony, omal nie wpadłem na poczciwą staruszkę snującą się po pustym korytarzu. Na szczęście dostrzegłem ją w samą porę. Ustępuję jej drogi i uśmiecham się do starowinki.

– Panie doktorze!

Babulka, siwiuteńka jak gołąbek, pomarszczona jak skórka od cytryny, raczyła się odezwać. Rozglądam się odruchowo w poszukiwaniu lekarza, do którego się zwróciła, ale na korytarzu jesteśmy tylko my: ja i ona. Przyglądam się jej zdezorientowany. W każdym razie babcia w niczym nie przypomina siłacza, z którym przed momentem miałem do czynienia, więc obawiać się nie ma czego, wręcz przeciwnie: należy się cieszyć. Pierwsza w miarę syntoniczna osoba, która z własnej woli chce nawiązać rozmowę. Więc wyczulam się na jej słowa, by w miarę możliwości postawić jak najdokładniejsze rozpoznanie.

– Panie doktorze, ja nie mogłam wtedy mówić na rozmowie, bo ja mówić to wtedy nie mogłam, myśli miałam mało, szczególnie tych o mówieniu, ale potem to mnie te głosy bardzo męczyły i mówiły, żebym wszystko powiedziała – mówi, a ja już wiem z kim mam do czynienia: schizofrenia – no to teraz mówić mogę, więc powiem wszystko.

– No to niech pani mówi – i rad z pierwszego nawiązanego kontaktu, zamieniam się w słuch.

– To ja teraz wszystko powiem. Po pierwszym maja to się zaczęło. Jak myśleć, jak myśleć nie można, i staram się pojedynczymi słowami myśleć tylko, żeby po prostu nie całe myśli, no bo w końcu wydaje mi się, że te moje myśli będą wszyscy znać, to tylko sobie powtarzam to słowo „o Boże" czy „o moje dziecko", czy coś takiego, no i nawet te słowa słyszę, jak ulatują. No i te głosy, które do mnie dochodzą, na przykład jak ktoś do mnie mówi, to ja słyszę ten głos, ale on po cichu do mnie dochodzi, tylko te moje myśli są takie głośne.

– Kiedy to się zaczęło? – pytam zaciekawiony nowym przypadkiem, jak każdy lekarz. Zdaje się, że wreszcie trafia się syntoniczna schizofreniczka, choć trochę zbyt gadatliwa i męcząca.

– Po pierwszym maja się zaczęło. Nie wiem, jaka to może być przyczyna, nie mogę określić przyczyny, co to za przyczyna, może znaczy... jak pomyślę, to myśli uciekają, a co znowu wszyscy do mnie mówią, to ja znowu kumuluję w swojej głowie. Tych myśli, tych głosów, to ja mam bardzo dużo, że mało mi głowy nie odsadzi wtedy, wydaje mi się, że strasznie wielką, naładowaną głowę mam tymi myślami, nie tymi myślami, ale tymi słowami, które do mnie dochodzą od innych, bo po prostu swoich nie mam, no bo moje to uciekają. Słowa, które mam w głowie to nie są moje, tylko tych dochodzących mnie słów od innych osób, bo moje, jak pomyślę, to od razu ucieka. Ta myśl. To tak wygląda, jakbym myślała na głos. I właśnie wydaje mi się, że wszyscy się na mnie oglądają, że ja tak głośno mówię, czy, czy po prostu ten głos ode mnie odbierają, po prostu ode mnie ten głos. Ja nawet pamiętam takie słowa, jak ktoś do mnie mówi, że on mówi: „idzie jakaś i finans chyba na tym robi, no bo tak udaje". W ten sposób takie słowa do mnie dochodzą. Wydaje mi się, że kto jedzie, czy kto idzie, to się za mną ogląda. Przez to już nie oglądam telewizji, bo nie mogę, bo ja wtedy nic, mało co rozumiem i słyszę z telewizji. Starałam się nawet z dzieckiem na głos rozmawiać, bo jak głośno rozmawiam, to troszeczkę jak gdybym zabijała te swoje, te myśli, no bo głośno rozmawiałam.

Paranoidalna, myślę cokolwiek znużony jej słowotokiem. Bardzo syntoniczna babcia, rzekłbym nawet: zbyt syntoniczna. Gadatliwa aż do znudzenia. Ponieważ już wiem, z kim mam do czynienia, a w dodatku objawy są niemal podręcznikowe, tylko dla przyzwoitości, coraz bardziej znudzony, pytam:

– A czy do pani dochodzą też takie głosy, które komentują pani zachowanie?

– Tak, tak, tak jak sąsiedzi mówią, żebym skończyła ze sobą albo gdzie poszła, bo my nie wytrzymamy tak dłużej żyć. No to jak sąsiedzi tak do mnie przez ścianę mówili, jak ode mnie te myśli głośne cały czas szły, to za pierwszym razem no to ja uciekłam z domu i poleciałam przecież, nie wiem, gdzie ja biegłam, w każdym bądź razie znalazłam się w szpitalu, tam przesiedziałam całą noc i tym razem to nie uciekałam już nigdzie, bo wiedziałam, że gdzie ucieknę, to i tak ten głos będzie słychać. Brałam leki, ale tylko przez dwa albo trzy dni, nie pamiętam już w tej chwili, nie mogę sobie przypomnieć dokładnie, brakło mi tego leku i nie poszłam, bo jakoś w pracy byłam i nie poszłam, i dlatego nie wzięłam, i od tego się zaczęło.

Mam już serdecznie dość jej gadatliwości. Jak się jej pozbyć? Babcia jednak wyraźnie chce rozmawiać dalej. Przyczepiła się do mnie jak rzep do psiego ogona. No dobrze, niech jej będzie.

– Kiedy – mówię starając się skoncentrować – to się zaczęło?

– Po pierwszym maja się zaczęło – mówi. – Tam tutaj, to ja się nie boję, ale jak byłam, to się bałam właśnie. To wróci. Oni tak specjalnie to oni mi nie grozili, tylko mówili, żebym sobie gdzieś poszła albo wyjechała, bo dla mnie już nie ma życia na tej ziemi, bo i tak wszędzie mnie będzie słychać, te moje myśli, znaczy, dlatego się bałam. Ja się tak czułam, jak on rozmawia z kimś telefonicznie na kilka kilometrów nawet. Jak sobie pomyślałam o kimś, no to słyszałam już jego głos, nawet z daleka. W głowie tak go słyszę, no ale dobrze słyszę...

Dość, myślę, wystarczy. Sztuka dla sztuki. Babcia pewnie dopiero co dostała integrin i tak na nią podziałał, że musi się komuś natychmiast wyspowiadać. Ale nie czegoś takiego chciałbym wysłuchiwać. Więc klepię babcię po ramieniu.

– Dobrze, proszę pani, wystarczy. Już wszystko wiem. A teraz proszę wracać do sali i położyć się.

Babcia ani na moment nie przestaje mówić.

– W nocy spać nie mogłam, znaczy ja chciałam spać, żeby to zagłuszyć, żeby nie słyszeć, ale spać nie mogłam. Tylko że w nocy to ja zawsze mniej słyszałam, bo wszyscy śpią, to znów nie tak bardzo słyszą. Przedtem było inaczej. Tamtym razem to się zaczęło w nocy w ogóle, a teraz to ja już trochę inaczej myślałam, już inaczej to po prostu przychodziło do mnie i odbierałam, bo przedtem to ja myślałam, że to jest rzeczywistość, a teraz to już tak niby rzeczywistość, a niby inaczej już, bo lekarze mówią, że to mi się tylko wydaje...

– No i dobrze – mówię rozglądając się nerwowo: znikąd odsieczy. Zastanawiam się, jak pozbyć rozgadanej starowinki. Przecież nie zawołam pielęgniarza ani nie dam jej na sen. To nie gabinet, gdzie to właśnie ja sprawuję władzę i gdzie mam co prawda obowiązek wysłuchać chorego, zebrać wywiad, ustalić objawy i starać się pomóc, ale przecież w każdej chwili mogę taką rozmowę przerwać. Zresztą chorzy nie są tacy gadatliwi, na ogół trzeba z nich wszystko wyciągać.

— A teraz to ja już mniej tego mam — mówi dalej — od wczoraj to ja już nie mam nic wcale, jak przyszłam, wzięłam leki, to od wczoraj, od południa, to już absolutnie nic i bardzo dobrze nawet się czuję, a jak byłam w ambulatorium — tam krew ściągali, tam studenci byli, studenci, z głowy krew mi odchodziła...

— Dobrze, babciu — mówię zdesperowany — no to położcie się spać, a ja muszę iść. No to do widzenia. Porozmawiamy jutro — okręcam się na pięcie i ruszam w drogę na swą salę, ale babcia nie daje za wygraną: drobi za mną małymi kroczkami, wciąż jazgocząc:

— Po prostu jakiś tam komputer miałam we krwi i tak mi ściągnął wszystko, że ja miałam umierać. Nie ma innego wyjścia dla mnie i ja muszę umrzeć. Przedtem to była jeszcze historia taka, że z tego komputera to nawet jakieś tam, wezwałam tutaj, pani swojej doktor, która mnie leczy, powiedziałam, to ona też ze mną rozmawiała, i też powiedziała, że pościągałam z pani wszystko, tylko nie wiem co, do dzisiejszego dnia to pani odejdzie, i po tym ściągnięciu przecież ja normalnie czułam, bo powiedziała mi, żebym się położyła prosto, rękę sobie położyła, odłożyła troszeczkę na lewo, drugą na prawo, tak od ciała znaczy, i żebym spokojnie leżała, to wtedy ściągną to wszystko i będzie mi dobrze. I nawet mi po tym to jak gdyby troszeczkę ulżyło...

Myślę: jeśli wejdę teraz na swoją salę, babulka ani chybi pójdzie za mną i będzie tak nadawać aż do końca świata, stojąc mi nad łóżkiem. Co gorsza, może zapamiętać salę i moją osobę i prześladować mnie tak długo, dopóki będzie działał integrin albo leponex, cokolwiek jej dali. Żeby choć jeszcze mówiła rozsądnie, ale gdzie tam!...

– A potem – ciągnie niezmordowanie babcia – to się zaczynało w ten sposób, że ja po prostu odeszłam jak gdyby w drugi świat i tam było tak dobrze, że mnie się nawet nie chciało wracać. To się tak zaczynało ten mój właśnie tamtym razem, a teraz to nic takiego nie było tym razem.

Nie, myślę, nie pójdę do sali, bo jeszcze mogłaby mnie tam odnaleźć. Ucieknę do ubikacji. Postaram się jakoś ją zgubić – i przyspieszam kroku. Jakież było moje zdziwienie, gdy babcia dziarsko, rzecz jasna jak na jej wiek i w dodatku po tabletkach, ruszyła za mną w pościg, wciąż gadając:

– Tamtym razem to, no tak, to była przecież noc przecież, to była godzina pierwsza, ja pamiętam, to było potem, potem była godzina pierwsza, jak ja się obudziłam i tak było mi dobrze, no a ja wiem, czy się obudziłam? czy ja byłam? ja tam wszystko widziałam przecież, tylko że wszystko takie mgliste, te postacie jak gdyby takie mgliste były, mało widoczne, tam było kolorowo i ciepło, ładnie, a tym razem to ja nie miałam takich tylko od razu: te głosy... Boję się, że się rozchodzą, że się boję, tylko że mniej że w nocy, a więcej w dzień...

Wbiegam do ubikacji. Babcia, zostawszy nieco w tyle, ostatecznie biegłem dość szybko, krzyczy na cały korytarz, pewnie żebym dobrze słyszał.

– No i dlatego się odzywali sąsiedzi, żebym poszła z domu, bo wszystkim przeszkadzam. Wydawało mi się, że jak przechodzę koło bloku, to jak mnie te głosy wzywały, na przykład ciocia mnie wzywała, że przyjdź do mnie, może u mnie lepiej będzie albo coś...

Wpadam do pierwszej kabiny. Z impetem otwieram drzwi i oto co widzę: jakiś chory wrzuca tabletki do muszli klozetowej.

– Co pan robi?! – mówię odruchowo.

Chory patrzy na mnie, bynajmniej nie spłoszony i mówi:

– Gówno ci do tego!

Jako lekarz powinienem zmusić go, by połknął tabletki. Przecież te środki to wszystko, co wymyśliła medycyna, by ulżyć mu w chorobie, a on ma to po prostu gdzieś. Wbrew sobie. Wbrew nam, lekarzom. Wbrew całemu normalnemu światu.

– Wynocha stąd, wariacie! – mówi zduszonym szeptem. – No już, won! A jak zakapujesz, głupku, doktorom, to żywy stąd nie wyjdziesz!

Słyszę już jazgot babci, która właśnie wpada do ubikacji nie przestając gadać, więc wyskakuję z kabiny i szukam jakiejś wolnej. Wolna jest właśnie następna. Wpadam tam i tarasuję drzwi własnymi plecami.

– Jak szłam, to mi się wydawało, że wszyscy wyglądają oknami i sobie mówią: nareszcie gdzieś idzie, może już nie będzie słychać albo co. Przecież te głosy to jak niechby gromy biły albo co, to się normalnie po całym mieście rozchodziły. Ja potrafiłam z synem rozmawiać, on był w szkole, a ja potrafiłam go się spytać, co on robi teraz, ja mu nawet, bo on mówił, że pisze klasówkę, to ja mówię: czego nie wiesz?, no to on coś mi tam powiedział, że, i ja mu podpowiedziałam, jak to się pisze, tylko że to było bardzo słychać, i nauczyciele też na pewno słyszeli...

I nagle cisza. Przywieram plecami do drzwi kabiny. Słyszę pisk zawiasów i głuche stuknięcia: to babcia po integrinie, który zadziałał aż za dobrze, szuka mnie po kabinach. Wreszcie natrafia na moje drzwi. Ponieważ zapieram je od środka, wejść nie może. Ale widocznie przeczuwa, że tu jestem, bo znów zaczyna:

– Ja naprawdę nie wiem, panie doktorze, jak to się, ja nie wiem, no, co ja mogłam myśleć wtedy, wiem, że poszłam rano do pracy i zamiast do pracy poszłam do kościoła... Pan słyszy? Słyszy mnie pan? Bo ja muszę to panu dokładnie opowiedzieć... Myślałam, że to od Boga może jest takie coś, no bo niby ciocia mówi: idź do kościoła, a później z tego kościoła do nieba.

Co za absurdalna sytuacja: ja zamknięty w ubikacji, chroniący się przed agresywną, gadatliwą staruszką, która upatrzyła mnie na swego spowiednika...

– Strasznie płakałam w tym kościele – nie daje za wygraną babcia.

Zaciskam zęby. Jakoś ją przetrzymam. Może w końcu się wygada i wreszcie sobie pójdzie...

– Ja myślałam, że jak gdyby od Boga to jest. A teraz to w pracy mi się stało, no jak oni do koleżanki mówią tak, że, mówią, słyszę głosy. One się początkowo zaczęły ze mnie śmiać, bo, mówią, gdzie głosy?, zaczęli mi krople walerianowe dawać, bo mówili, że na pewno nerw ci jakiś wysiadł, no to, pamiętam, te krople brałam, a później to mówią, że głosów nie słychać nic a nic, a ja ciągle odbierałam, nie wiem, ja słyszę, mówię, i jeszcze im drzwi otwierałam i mówię: jak nie wierzycie, mówię, to posłuchajcie, przecież to tak głośno, mówię, słychać, mówię, wy nie słyszycie? Później mnie przyprowadziły do lekarza, no i teraz tak to jest, jak mówię. Słyszy pan, panie doktorze? – i wali w drzwi mojej kabiny.

Milczę i tylko mocniej opieram się plecami o drzwi. Zamki... Tak. Czasem jednak przydałyby się jakieś zamki. Choćby zwykły haczyk...

I nagle babcia milknie. Po chwili słyszę oddalające się szuranie kapci, a potem trzask drzwi od sąsiedniej kabiny: ten, który wypluwał tabletki, widocznie wyszedł.

Czekam jeszcze przez chwilę i upewniwszy się, że nic się nie dzieje, ostrożnie otwieram drzwi. Jestem sam. Wychodzę z kabiny i staję w drzwiach wyjściowych: trzeba zbadać sytuację na korytarzu, bo a nuż babcia albo ten drugi... Ale nie, korytarz jest pusty. Więc mogę już wracać na swą salę. Nareszcie!...

– Heil Hitler!

To Goebbels. Staram się nie zwracać na niego uwagi, ale on nie daje za wygraną.

– Heil Hitler! – mówi głośniej i patrzy na mnie natarczywie, wyraźnie domagając się odpowiedzi.

Napotykam spojrzenie Marka, który patrzy na mnie wyczekująco i uśmiecha się półgębkiem, jak ktoś, kto też kiedyś nie radził sobie z nachalnym Goebbelsem, a teraz ma to za sobą i bawi się obserwowaniem, jak będą sobie radzić inni. Przypomina mi się zwrot, który powoduje, że Goebbels natychmiast się uspokaja. Bez wahania mówię: „Norymberga!" – i oto biedny schizofrenik nakrywa się kołdrą aż po czubki włosów.

– Gratulacje – uśmiecha się Marek. – Szybko się uczysz, doktorku.

Chcę zaprzeczyć, powiedzieć, że nie jestem lekarzem, ale przecież on już wie, czytał w nocy mój pamiętnik. Pewnie teraz gotów jest mnie szantażować.

– Nauczyłem się od ciebie – mówię. – Sam jesteś lekarzem, więc niech nie przygania kocioł garnkowi. Zresztą to twój pomysł z tą Norymbergą.

– Zdaje się, że jesteś idealistą, prawda? Ale właśnie dałeś dowód, że zaczynasz przeglądać na oczy. Jeśli ty nie zjesz ich, oni zjedzą ciebie. I będzie tak, jak o tym pisałeś w swoich notatkach. Zaszczują cię. Bo ty jesteś inny. Ty się ich boisz, a oni to wyczuwają. Więc nie bój się być tym, kim jesteś naprawdę. Przed sobą nie uciekniesz. Jesteś zdrowym facetem otoczonym bandą psycholi, o, przepraszam: biednymi chorymi, pacjentami, czy jak wolisz – ciekawymi przypadkami. Jako zdrowy, masz pełną kontrolę nad sytuacją, a jako lekarz powinieneś mieć kontrolę nad wszystkimi chorymi. Nie staraj się przed tym uciec, naucz się to wykorzystywać.

– Co to – mówię zirytowany – wykład mi robisz?!

– Nie, po prostu chcę ci oszczędzić nieprzyjemności, jakie mogą cię tu spotkać. Jestem tu od co najmniej czterech lat, więc wiem niejedno.

– Cztery lata? – patrzę na niego z niedowierzaniem. – A co ty tu właściwie robisz?!

Marek zbył moje pytanie wymownym milczeniem, a potem zaproponował, żebyśmy poszli na świetlicę. Na myśl o świetlicy i o tym, co mi się tam niedawno przydarzyło, obleciał mnie strach. Widocznie zauważył, że minę mam nietęgą, bo powiedział:

– Nie masz się czego obawiać. Przecież idziesz ze mną. Opowiem ci wszystko o sobie, tak jak obiecałem, ale najpierw chcę ci pokazać kilka osób i wytłumaczyć co i jak.

Ucieszyłem się, gdyż od wczoraj zżerała mnie ciekawość, co też chce mi powiedzieć i co właściwie tu robi. Zastanawiałem się nad tym i najprawdopodobniejsza wydała mi się wersja symulacji. Skoro mówił o jakiejś psychuszce, to pewnie symuluje, starając się przed czymś uciec, albo robi to samo co ja: rozgląda się i poznaje schizofreniczną nierzeczywistość. Ostatecznie wielu lekarzy-psychiatrów już tak próbowało. Kępiński podobno wstrzykiwał sobie środki halucynogenne i zrobił sobie elektrowstrząsy, inni oprócz tego dawali sobie wstrzykiwać insulinę... Nic rozsądniejszego nie przychodziło mi do głowy. No dobrze, ale poznawać rzeczywistość zamknięty przez cztery lata w szpitalu?! To całkiem nieprawdopodobne...

Marek prowadzi mnie na świetlicę. Z duszą na ramieniu, pamiętając co mi się tu niedawno przydarzyło, przestępuję próg. Tak jak przedtem większość stolików okupują pacjenci, niektórzy w piżamach, niektórzy w normalnych ubraniach. Grają w karty albo w damkę, rozmawiają, albo przeglądają gazety.

Nagle jak na komendę gwar cichnie. Czuję na sobie ciężar kilkunastu spojrzeń. Poczułem się nieswojo. Skuliłem się w sobie.

– Dzień dobry, chłopcy – mówi Marek do tych, którzy wlepili w nas wzrok.

– Dzień dobry – odezwał się chór kilku głosów.

– Przyprowadziłem wam nowego pana doktora – mówi Marek i poklepuje mnie po ramieniu.

Chór zaszemrał. Nie wiedziałem, co robić. Dlaczego przedstawił mnie jako lekarza? A może on ciągle jeszcze wierzy w tę bzdurę, że jestem nasłany przez personel medyczny, by szpiegować jego zachowanie? Nie, chyba nie; przecież czytał moje zapiski... Spoglądam niepewnie na Marka, ten jednak niczym się nie przejmuje: ciągnie mnie za łokieć do najbliższego wolnego stolika. Siadamy. Z ulgą i satysfakcją obserwuję, jak chorzy wracają do swych normalnych zajęć, przestając zwracać na nas uwagę.

– I tak trzymać – Marek mruga do mnie porozumiewawczo. – Bądź tym, kim jesteś naprawdę. Tu rządzi strach i prawo silniejszego. A najsilniejszy jest lekarz. To od niego wszystko zależy.

– Nawet taki lekarz bez fartucha?

– Jeśli chcesz ich poznać naprawdę, musisz przestać myśleć jak człowiek zdrowy. Choć szczerze mówiąc, uważam że Walas, stary skurwiel, tu akurat miał rację: nigdy nie poznasz ich psychiki.

– Ty ich przecież poznałeś. Radzisz sobie świetnie...

– Gdybym poznał ich myśli, oznaczałoby to, że sam zwariowałem – śmieje się Marek. – Ja po prostu poznałem reguły gry i zacząłem je wykorzystywać, żeby nie wleźli mi na głowę. Tobie radzę to samo, jeśli chcesz tu wytrzymać do końca swego pobytu. Ty masz dość już po miesiącu, a ja jestem tu od czterech lat.

– Ale dlaczego? – mówię. – Nic z tego nie rozumiem. Powiedz wreszcie, o co tu chodzi!

– Cierpliwości, zaraz wszystko zrozumiesz. Ale najpierw chciałbym coś ci pokazać.

Milknie i rozgląda się po sali. Chorzy przestali zwracać na nas uwagę. Zajęli się swoimi sprawami: czytaniem gazet, graniem w karty i damkę, rozmowami. Obserwuję ich ukradkiem. Te twarze... Strzępy bzdurnych dialogów...

– Niezłe wariatkowo – mówi Marek – no nie?

– W normie.

– Dla nas to nic nowego, napatrzyliśmy się wystarczająco, ale gdyby trafił tu ktoś z zewnątrz i w dodatku byłby zdrowy, długo by nie wytrzymał przy zdrowych zmysłach.

– Za wielu zdrowych to tu chyba nie ma...

– Kogoś ci pokażę – Marek rozgląda się i widocznie dostrzegając osobę, o którą mu chodziło, woła: – Albert! Albert!..

Podchodzi do nas niepozorny człowieczek w piżamie. Ma rozanieloną twarz i błędne spojrzenie. Staje przy stoliku, gdzie usiedliśmy, wpatruje się w Marka i czeka.

– To jest Albert – mówi Marek. – Robert Albert. Doktor nauk medycznych. Neurolog. Nie wygląda, prawda?

Albert, jak mu tam... no, nieważne, Albert patrzy na nas niepewnie i przestępuje z nogi na nogę, uśmiechając się głupawo.

– Możesz iść, Albert – mówi Marek i Albert posłusznie odchodzi, ledwie powłócząc nogami. Nie sprawia dobrego wrażenia. Mało kontaktowy, wyraźnie autystyczny. I w ogóle do niczego. Typowy schizofrenik paranoidalny.

– I co o nim myślisz? – mówi Marek.

– A co mam myśleć? Chory jak chory. Schizofrenia, to przecież widać.

– A że neurolog? Lekarz?

– Choroba nie wybiera.

– A znasz Kowalskiego?

– Nie znam tu nikogo.

– Czytałem w twoim pamiętniku, że leżałeś z nim na sali. No, ten taki od prądów, od elektrowni.

– Faktycznie – przypominam sobie wreszcie.

– Wiesz, kto to był? Znany kardiolog. Robił na zamówienie zawały. Sprawy polityczne i niewygodni świadkowie.

– I co z tego?

– Nie wiesz? Wącha stokrotki od spodu. Pierwszy elektrowstrząs go załamał, drugi dobił, wtedy zaczął gadać o tych prądach, trzeci do reszty pozbawił świadomości, a czwarty zabił.

– Poważnie?!

– Albert swego czasu, gdy był jeszcze potrzebny, robił różnym politycznym nerwice i skierowania na psychiatrię. Dostał parę woltów w mózg i teraz jest, jaki jest, sam widzisz. Psychuszka, bracie. Szpital dla lekarzy. Albert. Kowalski. Morawiecki. I paru innych, których nie znasz i już nie poznasz. Dobra robota.

– No dobrze, a ty? Nie chcesz chyba powiedzieć, że...

– Nie wierzysz? Poczekaj, a sam się przekonasz. Tylko musisz bacznie wszystko obserwować. Chociaż pewnie nie o to ci chodzi, żeby odkrywać prawdę. Ciebie interesują tylko wynurzenia chorych. Schizofreniczny świat. Ale wiesz, co ci powiem? Rację miał ten twój Walas. Nigdy się przez to nie przekopiesz. Weź sobie po prostu LSD i zobacz przez moment to, co oni wszyscy widzą przez cały czas. To wszystko co możesz zrobić, żeby poznać ich psychikę. Wierz mi, jestem psychiatrą i to doświadczonym.

– Czy mógłbyś mi załatwić działkę LSD?

– Gdzie, tu w szpitalu?! Chyba żartujesz!

– Ale sam brałeś...

– Owszem. Kupuje się na pasażu przy „Ratuszowej".

– No więc?...

– A czy tu jest pasaż?

– Marek, ja wiem, że ty wszystko potrafisz. Przecież to jest psychiatria. A jeżeli tak, to są tu i narkomani. Ja do dilerów nie dotrę, a ty jesteś tu już cztery lata...

– Co chcesz przez to powiedzieć?

– Że tobie łatwiej to będzie załatwić niż mnie.

– Zobaczę, co da się zrobić.

– Obiecujesz?

– Niczego nie obiecuję. Zresztą to chyba nie jest zabawa dla ciebie. Po co ci to? I tak nigdy nie poznasz ich psychiki.

– Miałeś opowiedzieć mi coś o sobie, a nie prawić morały.

– Chcesz wiedzieć coś o mnie? Na pewno chcesz? Mimo, że nie jestem wcale chory?

– Bez tych wstępów. Mów.

– W porządku. Ale najpierw powiedz mi, co wiesz o omamach wzrokowych w schizofrenii.

– Wszędzie pisali, że to rzadkość.

– A otóż nie, wbrew pozorom występują bardzo często, prawie zawsze.

– Bilikiewicz opisuje tylko...

– Daj sobie spokój – mówi. – Bilikiewicz, Kępiński, Jarosz, Cwynar... Nie podpieraj się autorytetami, którzy nie mają racji. Przeczytałeś, że schizofrenik nie widzi żadnych poruszających się postaci będących tworem jego wyobraźni, lecz tylko słyszy te osławione „głosy". Dźwięk. Tylko dźwięk, a nie obraz. Co najwyżej jakaś nieruchoma twarz bez oczu, jakaś maska na tle okna, to wszystko, prawda?

– Owszem, i co z tego?

– Otóż nie. Jest zupełnie inaczej. Schizofrenicy nie tylko słyszą „głosy", ale i widzą poruszające się zjawy. Zupełnie jak na filmie.

96

Widziałeś pewnie katatonika, prawda? Brak jakiegokolwiek kontaktu z otoczeniem. W dodatku często występuje całkowite osłupienie, bezruch. Ale czy zwróciłeś kiedyś uwagę na oczy? Czy zauważyłeś, że oczy katatonika coś śledzą? I schizofrenika paranoidalnego również? Czy zwróciłeś uwagę, jak oni wszyscy się rozglądają dokoła? Niby z tobą rozmawiają, ale jednocześnie patrzą na coś, i na pewno nie na ciebie ani nie na lekarza. Zauważyłeś to?

– Bo ja wiem? – mówię i usiłuję przypomnieć sobie rozmowę z chorym: faktycznie, nie zwracałem uwagi na takie śledzenie wzrokiem...

– W porządku – ciągnie Marek – a czy ten taki starszawy lekarz z tikiem, Borowiecki, nie pytał cię właśnie o omamy wzrokowe?

Coś mi świta w pamięci. Faktycznie, pytał. Mało tego, wręcz się domagał, bym się do nich przyznał.

– Pytał.

– No to jesteśmy w domu. Teraz mogę cię we wszystko wprowadzić. Otóż jestem tu dlatego, że coś odkryłem. Właśnie to, o czym mówiłem: teorię omamów wzrokowych w schizofrenii. Jestem teraz na tym oddziale jako pacjent, a inni odebrali mi moją teorię, i prace kontynuują sami. I to właśnie na nich spłynie cały splendor związany z tym odkryciem. Teraz już rozumiesz?

– Powiedzmy – mówię i patrzę na niego niepewnie. Jakoś to mało przekonujące...

– A czy na twoim oddziale nadal pracują Wiśniewski, Pracka, Hofmoklowa i Zarzycki? – mówi ni stąd ni zowąd.

Zaskoczył mnie. Skąd aż tak dobrze zna mój oddział?

– Pracują – mówię. – A skąd ich znasz?

– Walas oczywiście jest ordynatorem? – uśmiecha się podejrzanie. – Pewnie dalej robi ten numer „jak myśleć, jak myśleć nie można”?

– Skąd o tym wiesz?!

– A słyszałeś o doktorze Krynickim? Może czytałeś podręcznik „Choroby psychiczne na przestrzeni dziejów"?

– Coś mi się obiło o uszy – mówię zgodnie z prawdą – ale nie kojarzę...

– To ja jestem Marek Krynicki – mówi Marek. – Byłem u was zastępcą ordynatora, zanim nastał Walas. – Ja zaś, gdybym już nie siedział, pewnie usiadłbym z wrażenia.

Słuchając go, z początku nie dowierzałem, a później, gdy fakty zaczęły układać się w logiczny łańcuszek wzajemnych powiązań, włos zjeżył mi się na głowie. Otóż zrozumiałem, że miałem do czynienia z fanatykiem pewnej teorii, którą nie wahał się potwierdzać kosztem zdrowia, a nawet życia pacjentów. Z początku pachniało mi to nawet psychopatią albo paranaoją, ale gdy zaczął mnie wtajemniczać w szczegóły, wyzbyłem się podejrzeń. Każdy ma prawo do odrobiny fanatyzmu, a ten człowiek był najzupełniej zdrowy i świadomy swoich czynów. Marek był wielkim odkrywcą, a wielkość i nadrzędność celów wiele usprawiedliwia.

Gdy wróciliśmy na salę i Marek, zmęczony, poszedł spać, przez resztę wieczora porządkowałem sobie to, co usłyszałem. Wszystko, o czym mówił Marek, było przerażającą, ale potwierdzającą się w każdym calu prawdą.

W tym szpitalu, mówił Marek, trzyma się dwie kategorie ludzi: zwykłych pacjentów z autentycznymi chorobami psychicznymi i ludzi związanych blisko z medycyną, którzy są, lub przynajmniej, zanim tu przyszli, byli zdrowi, ale po prostu z jakichś powodów stali się niewygodni. Nazywa się to „obserwacją", a tak naprawdę chodzi o najzwyklejsze w świecie ubezwłasnowolnienie, odsunięcie od społeczeństwa, pozbawienie prawa do obrony własnych racji i zniszczenie kariery zawodowej za pomocą etykietki „wariata". Wyjście Marek widział tylko jedno: udawać, że człowiek na to wszystko się godzi, a robić swoje. A co oznacza dla lekarza „robić swoje", dobrze wiedziałem. W przypadku Marka – po prostu leczyć. Marek potwierdził i powiedział, że jeśli lekarz dobrowolnie zrezygnuje z uprawiania zawodu czy choćby bycia w gotowości – zostanie wchłonięty przez szpitalny marazm i zacznie wtapiać się w środowisko autentycznych chorych i to już rzeczywiście może poważnie odbić się na psychice, a im tylko o to chodzi. Walka i opór, mówił Marek, nie mają żadnego sensu. Albert też im się z początku stawiał, a teraz za pomocą serii elektrowstrząsów zrobili z niego bezwolną kukłę, z Kowalskiego też, co zresztą sam widziałem i tu nawet nie musiał mnie przekonywać, choć i tak przekonywał mnie do wszystkiego, co mówił, sypiąc przykładami i wywodząc skutek od przyczyny. Jeżeli ktoś był tu chory psychicznie, to na pewno nie Marek. Do reszty więc wyzbyłem się jakichkolwiek podejrzeń co do przyczyny jego pobytu. Zresztą był przecież kiedyś wiceordynatorem i to gdzie? – na psychiatrii. To również czyniło bardziej prawdopodobną teorię Marka, która nie mogła być tylko teorią: musieli tu trzymać ludzi bez powodu. Bez powodu? Ależ skąd, mówił Marek, powodem jest właśnie to, że niektórzy z nas są niebezpieczni dla ich stołków, pozycji albo wiedzy.

Później zaczął mi opowiadać o swej pracy. W miarę jak mówił, coraz bardziej uznawałem, że teoria dominujących omamów wzrokowych w schizofrenii to naprawdę wielkie odkrycie, chociaż mimo wszystko nie wydawało mi się prawdopodobne, żeby tylko z tego powodu zamykać zdrowego człowieka w szpitalu. Powiedziałem mu o tym, a on uśmiechnął się tajemniczo i powiedział, że faktycznie, trafiłem w dziesiątkę. I zaczął mi opowiadać o teorii psychostymulacji, jak ją roboczo nazwał, na którą wpadł przy okazji obserwowania chorych z omamami. To rzeczywiście było proste i dzięki tej prostocie wydawało się genialne. Chodziło o zamknięcie linii sił pola bioenergetycznego poprzez układ rąk człowieka dotykającego własnej głowy. BSM. Tak nazywali to bioenergoterapeuci-szarlatani, ale naukowe podejście Marka całą tę szarlatanerię wykluczyło. Oczywiście katatoników w stanie osłupienia trzeba było przymuszać do tego siłą. Ale to było potem, bo Marek, gdy przypadkiem zauważył dziwne zmiany zachowania u chorych po wpływem zamykania pola, zaczął eksperymentować na ludziach zdrowych. Osiągnął ponoć zadziwiające rezultaty. W zależności od układu rąk na głowie występowało spowolnienie myśli i procesów ruchowych albo przyspieszenie toku myślenia i zwiększenie sprawności intelektualnej, co potwierdziły testy na procent popełnianych błędów i testy Wechslera. Gdyby nawet Marek usiłować wcisnąć mi jakiś kit, akurat w tym wypadku nie byłoby to możliwe. Co jak co, ale rozdział o testach Wechslera z podręcznika Jarosza zapamiętałem szczególnie dobrze. Wiadomo, że mózg, mówił Marek, jest wykorzystywany zaledwie w piętnastu procentach, a w wyniku eksperymentów sprawność zapamiętywania i kojarzenia przekraczała jakiekolwiek normy, co sugerowało wyraźnie uruchomienie jakichś ukrytych potencjałów pracy mózgu. Wyniki były tak obiecujące, że trzeba było zbadać to laboratoryjnie. A do tego potrzebna była skomplikowana i droga aparatura. Badania i sprzęt sfinansowały Ministerstwo Zdrowia i Komitet Badań Naukowych. Badania, zarówno omamów wzrokowych i psychostymulacji, prowadzone były w tajemnicy. Marek zresztą nie informował szczegółowo o wszystkim, dopóki sprawa nie będzie oczywista. Tak więc ministerstwo i komitet finansowały oficjalnie badania omamów wzrokowych i tak zwane *„Badania nad zapamiętywaniem przy użyciu autopsychostymulacji bioenergetycznej”*. Ponieważ zdrowych ochotników nie było zbyt wielu, zresztą i tak Marek zajmował się równolegle omamami, wpadł więc na pomysł, by oba eksperymenty prowadzić wyłącznie wśród chorych na oddziale. Tyle tylko, że popełnił, jak przyznał, błąd. Żeby nie zaciemniać wyników eksperymentów, odstawił leczenie tradycyjnymi metodami. No i wtedy się zaczęło. Niektórym odstawienie leków i sama tylko psychostymulacja pomogły, i to bardzo, ale kilku pacjentom znacznie się pogorszyło, głównie katatonikom. Dwóch zmarło z powodu gorączki i zaburzeń krążenia. Zwróciłem mu uwagę, że w ostrej postaci katatonii hiperkinetycznej śmiertelność jest duża i często żadne leczenie nie skutkuje. Marek pochwalił moją spostrzegawczość i powiedział, że mówił im to samo, ale to niczego nie zmieniło. No i tu, rozumiesz, bracie, mówił Marek, sprawa się zacięła, no bo tych, których wyleczyłem, to oni nie liczyli, oni wzięli po uwagę tych paru, którym akurat się pogorszyło, no i ja, rozumiesz, bracie, miałem bałagan w papierach, bo ja się papierami nie zajmuję, ja się zajmowałem czysto naukowym eksperymentem, no i przyszły rodziny i zrobiła się afera, bo Walas, sam zagrożony, po prostu mnie wystawił i powiedział, że nic nie wiedział i że to wszystko ja sam, zrobiła się afera, powołali jakieś komisje, tamci przychodzili, badali, a jak odkryli, że w papierach coś tam stoi nie w porządku, to, rozumiesz, dawaj kryminał!, i mnie do sądu. No to ja zacząłem się tłumaczyć... aha, bo oni jeszcze przedtem chcieli ode mnie jakieś łapówki, że niby, wiesz, chodzą, patrzą, przymawiają się, a ja nic, bo, mówię, ja jestem w porządku, to dlaczego mam ludziom odpalać jakieś pieniądze, przecież ministerstwo i komitet też maczały w tym palce, no a że niepotrzebnie odstawiłem leki i że bez zgody chorych – to już mój błąd, no ale jak inaczej można to było zrobić, żeby wykluczyć wpływ leków i efektu placebo? No a potem wylądowałem w sądzie, ale patrz, jak się zwąchali, najpierw żeby dać łapówkę, a potem z grubej rury: doktor Mengele, wielkie nadużycie, zaniechanie obowiązków, szkodzenie chorym, a w końcu doszli do wniosków, że moje prace są szczególnie niebezpieczne, bo ja, mówili, mam jakąś ideę-fix, chcę produkować ludzi z super-mózgami, że to jakaś nieprawdopodobna manipulacja, też widać w końcu wpadli na to samo co ja, a ja wiedziałem, że tak naprawdę chodzi im tylko o to, bo to było dla nich szczególnie groźne, przecież łatwiej jest rządzić ludźmi głupimi niż bardzo inteligentnymi, no to, rozumiesz, zwąchali się z sądem i przekupili kogo trzeba, powołali jakichś tam biegłych, i sąd zamiast wyroku orzekł, że muszę iść na obserwację psychiatryczną, ja, psychiatra!, bo to niby wszystko bardzo dziwne, no i, rozumiesz, to było najgorsze, co mogli mi zrobić; ja wiedziałem, że jeśli dostanę wyrok, to będzie to cholernie niesprawiedliwe, ale nauka czasem wymaga ofiar; myślałem: jakoś się to potem załatwi, odwołanie, apelacja, zresztą w odwodzie pozostawało jeszcze ministerstwo, miałem tam niezłe wejścia, jakoś by się to wszystko załatwiło, no ale tak – to gorzej niż kryminał, bo nawet odwołać się nie można, bo niby kto ma się odwoływać? Wariat? Wariata najpierw trzeba przebadać, czy wariat zwariował czy nie, a tak dostaję rok w zawieszeniu albo rok do odsiadki, albo nawet pięć lat, niechby i dziesięć, co, myślisz, że bym nie odsiedział? Jak by nie pomogły apelacje to bym odsiedział, bo eksperyment był tego wart, a że w kilku przypadkach się nie udał – to ryzyko każdych badań; więc dobrze, powinienem iść do pudła, ale oni dali mnie tutaj, i ja tu siedzę już od czterech lat i czuję, że normalnie wariuję wśród tych cholernych wariatów, już nie traktuję ich jak pacjentów wymagających pomocy, po czterech latach zmienia się optyka nawet zapalonemu psychiatrze, no i – rozumiesz? – będę tu siedział, aż uznają, że jestem zdrowy, a nie uznają tego nigdy, bo to im nie na rękę, zresztą ja jestem zdrowy i zdrowszy już być nie mogę, no i załatwili mnie za ten eksperyment, za te, niby, jak oni to powiedzieli „doświadczenia na niewinnych chorych" i za pieniądze, a to był duży szmal, nawet kupili dla szpitala tomograf komputerowy, zachodnie elektroencefalografy i masę różnego innego sprzętu. Razem ze mną pogrzebali cały eksperyment, wszystko przepadło, było i nie ma, rozumiesz?, zrobili krzywdę mnie i chorym, których można było próbować w ten sposób leczyć. Zgoda, to by musiało być leczenie wspomagające, łącznie z farmakologią, ale przecież trzeba było zrobić ten pierwszy krok bez wpływu leków, żeby w ogóle coś wiedzieć. Można też było uruchomić tych dodatkowych parę procent mózgu u ludzi zdrowych. Tymczasem Walas badania nad psychostymulacją robi teraz sam, tyle że ostrożnie i po cichu. Niedawno opublikował moją pracę o omamach wzrokowych w *Psychologic Journal*. Opublikował jako własną. Całkiem niedawno. Pewnie zostanie sławny i będzie zgarniać nagrody. A ja będę tu gnił, aż zdechnę. Mowy nie ma, żeby mnie wypuścili, a ja nawet nie mam się jak bronić. No i tak, bracie, wygląda psychuszka.

W głowie by się to nie pomieściło, jak można załatwić zdrowego człowieka. A może Marek po prostu zmyśla? Nie, chyba nie. Zresztą po co miałby zmyślać? To straszne świństwo! Myślę, jak mu pomóc. Szkoda człowieka, jaki by nie był. Tylko co robić? W sprawę zamieszany jest przecież Walas i pewnie wielu innych. Trzeba być niezwykle ostrożnym. A Markowi pomogę. Jeżeli nawet nie do końca dla samej idei, to jakaż to satysfakcja wykryć taką sprawę i nie zważając na niebezpieczeństwo uwolnić samego ordynatora psychiatrii! Ależ on by im dał popalić, gdyby w końcu stąd wyszedł. Warto by było to zobaczyć!...

I jeszcze przypomina mi się ta zabawna scena, gdy wracaliśmy ze świetlicy. Pamiętam doskonale to uczucie: gdy pozbyłem się paraliżującego uczucia strachu przed chorymi, poczułem się jak nowo narodzony. Wszystko nagle zaczęło wydawać się proste i łatwe. Pacjenci, których nigdy dotąd przynajmniej jako lekarz nie bałem się i dopiero tutaj zacząłem odczuwać strach przed ich agresją, na powrót stali się tylko chorymi, łagodnymi jak baranki w obliczu lekarza, lekarza co prawda bez fartucha, ale rolę fartucha zaczął spełniać Marek i przy jego boku i cztero-letnim doświadczeniu psychiatry żyjącego wśród chorych i do-skonale im znanego, poczułem się bezpieczny. Toteż gdy szli-śmy z Markiem po korytarzu wracając na salę i spotkaliśmy tego obleśnego grubasa, „króla oddziału", nie obawiałem się go wca-le. Co prawda grubas nie zapomniał o mnie, poznał i pogroził mi palcem, ale wówczas Marek zapytał go, o co chodzi i czego chce od pana doktora, jego kolegi. Pod grubasem aż nogi się ugięły z przerażenia. Zaczął przepraszać i błagać o wybaczenie, że nie wiedział, że on nie chciał, że... Marek zapytał mnie, o co tamte-mu chodzi, a gdy wyjaśniłem całą sytuację w paru słowach, mru-gnął do mnie porozumiewawczo, co, jak sądziłem, miało ozna-czać: a nie mówiłem? – i zbeształ wciąż gnącego się w ukłonach grubasa, który już w ogóle nie wiedział, jak przepraszać, by pa-nowie doktorzy nie opisali tego w karcie choroby i żeby mógł wreszcie stąd wyjść, bo już za tydzień albo dwa obiecali mu wypis, jeśli wszystko będzie w porządku...

– Panie doktorze – mówię – kim właściwie jest mój towa-rzysz z sali?

– Który? – mówi Zimiński.

– Krynicki. Marek Krynicki. Co on tu właściwie robi?

Twarz Zimińskiego kurczy się na moment w jakimś dziwnym grymasie, który niemal natychmiast znika pod wymuszonym, to widać, uśmiechem.

– Co za zbieg okoliczności... Jesteście na jednej sali?

– Więc to przypadek?

Twarz Zimińskiego zastyga w pełnym napięcia skupieniu. Czuję na sobie jego uważne spojrzenie. Właściwie nie musi już nic mówić, ale mówi:

– Tak... Doktor Krynicki... dziwny przypadek. Nie jesteśmy do końca pewni. Sądowy nakaz obserwacji... To pański kolega ze szpitala, tak?

Trwa sprzężenie: ja – Zimiński, Zimiński – ja. Wzajemnie przeszywamy się wzrokiem. Zimiński rejteruje pierwszy. Ucieka gdzieś oczami, udając wielkie zainteresowanie papierzyskami leżącymi na biurku.

– Właściwie – mówi niespodziewanie – nie mam prawa zdradzać panu faktów objętych tajemnicą lekarską, szczególnie że w tym przypadku sprawa jest drażliwa.

To mi wystarcza. Patrzę na niego jak zwycięzca. Widocznie dostrzega ów błysk tryumfu w moich oczach, bo dodaje:

– Zresztą panu jako lekarzowi mogę chyba powiedzieć, oczywiście jeśli zachowa pan to wyłącznie dla siebie. Otóż doktor Krynicki prowadził dość ryzykowne badania i jest winien śmierci wielu ludzi. Nie będę tu dociekał kwalifikacji moralnych jego czynów, w każdym razie szpital jest chyba lepszy niż więzienie i skandal w środowisku. Są zresztą podstawy, by go tu trzymać.

– Czy doktor Krynicki ma jakieś konkretne rozpoznanie?

– Aż tak to pana interesuje?

– Cóż, zwykła ciekawość zawodowa – uśmiecham się chytrze. – Leżę z nim przecież na jednej sali. Chciałbym wiedzieć, czego się po nim spodziewać.

– *Paranoia vera* – mówi i wbija we mnie ciężkie spojrzenie.

Nonsens, myślę. Paranoja jest dość rzadką chorobą na oddziałach psychiatrycznych, lecz kilku paranoików już widziałem i Marka o paranoję na pewno bym nie podejrzewał. A więc Marek mówi prawdę. A Zimiński kręci.

Uświadamiam sobie nagle, że swą dociekliwością przekraczam granicę zwykłej ciekawości. To niebezpieczna zabawa. Trzeba szybko zmienić temat, by Zimiński nie domyślił się, ile wiem.

– A co z moim wyjściem? – mówię.

Skupiona dotąd i napięta twarz Zimińskiego rozjaśnia się.

– Jesteśmy na dobrej drodze. Jeszcze jakieś trzy tygodnie, najdalej miesiąc. Muszę przecież opisać pański „ciekawy przypadek". Oficjalnie pan teraz zdrowieje. Tylko proszę zbyt intensywnie nie symulować. Obiecuję, że skrócę panu pobyt jak tylko się da. Dalej nic nowego w pańskich doświadczeniach?

– Nie – mówię. – Wciąż to samo. Trudno nawiązać jakikolwiek kontakt. Przyznaję, że eksperyment nie miał sensu.

– A nie mówiłem? No cóż, przekonał się o tym na własnej skórze. Trochę szkoda, bo szczerze mówiąc liczyłem, że wszyscy na tym skorzystamy. Założenia były naprawdę interesujące i powiem panu, że mało kto odważyłby się pójść w pana ślady. Cóż, szkoda...

Kiwam głową i by podkreślić gorycz porażki bezradnie rozkładam ręce.

Stoję przy oknie i wpatruję się w jesienny krajobraz za oknem. Szpaler bezlistnych drzew w parkowej alei, kilku chorych spacerujących po parkowych alejkach, naburmuszone niebo, z którego lada chwila spadnie zimny, październikowy deszcz. Na salę wchodzi Marek. W ręku trzyma malutki pakiecik.

– Masz tu swoją przepustkę.

Wręcza mi zawiniątko. Patrzę na niego zdziwiony.

– Co to jest?

– Przecież chciałeś. Aha, jesteś mi coś winny. Okrągły milion.

– Zaraz – mówię – o co chodzi?

– No to chcesz to LSD czy nie?! – mówi Marek cokolwiek zirytowany i niemal siłą wciska mi zawiniątko do ręki. – To ja się narażam, kombinuję, a ty...

– W porządku – mówię i biorę od niego paczuszkę. – Więc to jest LSD? Ile tego przyniosłeś?

– Akurat tyle, żebyś wiedział, co to jest schizofrenia. – wzrusza ramionami Marek. – Tylko nie weź wszystkiego od razu. Dla zaprawionych narkomanów to bułka z masłem, ale nie dla ciebie – przestrzega Marek chowając pieniądze.

Na wszelki wypadek wkładam pakiecik do zakładki w nogawce spodni od pidżamy.

– Masz igłę?

Marek patrzy na mnie i uśmiecha się kpiąco.

– Igłę? A może żyletkę, nóż albo pistolet? Ech, ty...

Widząc moją zakłopotaną minę, podaje mi igłę z nitką.

– Zaszyj to sobie w nogawce spodni od piżamy. Tam nie znajdą. A jak będziesz chciał to wziąć, lepiej mi powiedz. Z LSD nie ma żartów. W razie czego będzie nad tobą czuwał psychiatra.

– Który też brał – mówię mimochodem.

– Tym lepiej dla ciebie. A teraz zaszyj to, żeby nie znaleźli.

Biorę od Marka igłę z nitką i zaszywam pakiecik z narkotykiem w nogawce spodni.

Ustaliliśmy, że dziś w nocy, jak już wszyscy pójdą spać, a w szczególności lekarze i pielęgniarki, zrobimy wspólny obchód. Marek powiedział, że coś mi pokaże i zniknął. Wrócił po kilku minutach, dzierżąc w dłoni jakiś wymiętoszony brulion. Rzucił go tryumfalnie na stół.

– Chowam to przed wszystkimi. Coś za coś. Ja czytałem twoje notatki, to teraz ty przeczytaj moje.

Spojrzałem na niego niepewnie.

– No zobacz.

Były tam nazwiska, numery sal, daty i długie opisy. Zrozumiałem, że to notatki z eksperymentów, które Marek wciąż prowadził, tyle że tutaj.

– Nikt o tym nie wie. Pilnuję tego jak oka w głowie.

Zacząłem czytać na chybi-trafił: *„Jerzy Brzozowski, lat 26, sala 14. Przywieziony na oddział 14.05.1984 r. Pacjent przytomny, ale bez kontaktu słowno-logicznego z powodu mutyzmu. Brak możliwości przeprowadzenia wywiadu. Objawy: oprócz mutyzmu omamy słuchowe i prawdopodobnie wzrokowe – chory śledzi źródła nieistniejących dźwięków lub wizje, reagując żywą mimiką. Ruchy niezborne. Niepokój ruchowy. Brak reakcji na polecenia słowne. Zauważalna echopraksja. Rozpoznanie wstępne: prawdopodobnie katatonia (sprawdzić, potwierdzić). Data terapii: 14/15.05.1982). Czas trwania: około 5 minut. Układ dłoni: prostopadły do płaszczyzny twarzy, przedramiona złączone, dotyk okolicy płatów czołowych. Czynności terapeutyczne nie wymuszone siłą: odzwierciedlenie czynności terapeuty przez chorego dzięki echopraksji. Stan na dzień 15.05.1984 r.: ustąpienie mutyzmu – chory wypowiada pojedyncze słowa bez związku. Zanik echopraksji. Większa zborność ruchów. Data terapii: 18.05.1984 r. Czas trwania – j.w. Technika zabiegu – j.w. Stan na dzień 19.05.1984 r.: znaczna poprawa. Słowotok. Prawidłowa koordynacja ruchowa. Prawidłowa reakcja na polecenia. Dobry kontakt z chorym...”.*

Czytam. A właściwie już tylko przeglądam strony zapisane gęstym maczkiem. Daty. Nazwiska. Spostrzeżenia. Opisy cofania się objawów. Dziesiątki ludzi, setki zabiegów.

– Terapia lekowa też może wpływać na stan chorych – mówi Marek. – U siebie na oddziale odstawiłem chorym wszystkie leki, żeby nie zaciemniać obrazu i też było podobnie jak tutaj. Tylko gorzej było z katatonikami. Dopiero tutaj zacząłem sobie z nimi radzić.

– To naprawdę jest metoda! To się powinno badać klinicznie i zacząć stosować jak najszybciej!

– Myślisz – mówi Marek – że nikt nie bada psychostymulacji? Zajął się tym Walas, tylc że po cichu.

– Chcesz powiedzieć, że robi to samo co ty kiedyś?

– Taki głupi to on nie jest. Robi to ostrożniej, samemu, nikogo prawdopodobnie w to nie wciąga, żeby nie było skandalu, bo kiedyś moja sprawa była bardzo głośna, i leków pewnie nie odstawia, ale poza tym robi dokładnie to samo, szczególnie, że część notatek przez przypadek zostawiłem w pracy, w biurku. Nie wierzę, żeby tego nie szukał i nie znalazł. Ale o tym przekonamy się, jak skończy i ogłosi wyniki.

– ...wstawaj. Wstawaj! No wstawaj! Idziemy.

Otwieram oczy. Nade mną, w skąpym świetle lampki wbudowanej w ścianę widzę pochyloną nade mną twarz Marka.

– Idziesz?

Mrugam oczami, by pozbyć się resztek snu czających się pod powiekami.

– No wstawaj wreszcie!

– O co chodzi? – patrzę na niego półprzytomnie. – Człowieku, jest noc!

– Obchód. Nie pamiętasz? Czas leczyć. Chciałeś to przecież zobaczyć.

Ponaglany przez Marka gramolę się z łóżka. Po omacku szukam stopami kapci. Znajduję je z trudem, wkopane głęboko pod łóżko. Czuję ich miękkie, przytulne ciepło.

– No dobra, możemy iść! – mówię ochoczo.

– Zamknij!... – zduszonym szeptem mówi Marek – mordę!... Chcesz, żeby wszyscy wiedzieli?!.

W ciszy, jak konspiratorzy, wychodzimy z sali. Idziemy pustym korytarzem, rozglądając się, czy skądś nie grozi niebezpieczeństwo.

– Dobra, tutaj – mówi Marek i prowadzi mnie do sali. Na drzwiach numer: szesnaście.

Na sali leży czterech pacjentów. Chrapią. Wszyscy, choć jeden głośniej, drugi ciszej. Marek wyciąga zza pazuchy wymiętoszony zeszyt i długopis.

– W porządku – mówi, zapisuje coś do zeszytu i podchodzi do chorego pod oknem, najgłośniej chrapiącego.

Patrzę na chorego. Starszy człowiek, na pewno po sześćdziesiątce. I to pierwsze wrażenie... Bleuler? Kandinsky? Nie mogę sobie przypomnieć, który z nich to powiedział. Pierwsze wrażenie: schizofrenia. To się czuje. Nawet jak chory śpi.

– Schizofrenia. Paranoidalna – rzeczowo informuje Marek, jakby chciał potwierdzić moje pierwsze wrażenie, a ja cieszę się, że intuicja mnie nie zawiodła.

Marek chwyta śpiącego za ręce i przykłada je do jego głowy w sobie tylko wiadomym rytuale. Pierwszy objaw – notuję w pamięci – chory przestał chrapać. A teraz uśmiecha się przez sen. Marek przyciska mu dłonie do skroni i spogląda na zegarek. Liczy czas. Czuję się trochę jak student na niezrozumiałym wykładzie. Dziwna jest ta jego metoda. Ale może faktycznie coś w tym jest? Bioenergoterapia co prawda jest tępiona przez medycynę konwencjonalną, ale któż tak naprawdę wie, na czym to wszystko polega?...

– No co? – mówi Marek. – Co tak stoisz i gapisz się, jak sroka w gnat? Już po zabiegu. Koniec. Idziemy do następnego.

I wtedy chory, na którym Marek dotąd eksperymentował, otwiera oczy.

– Co jest!... Kto tu?!

– Spokojnie, dziadek – mówi Marek – wszystko dobrze.

Dziadek podnosi się ostrożnie i siada na łóżku.

– Co wy tu... Kto wy jesteście?

Marek jest zaskoczony. Patrzy to na dziadka, to na mnie. Wreszcie nachyla się i szepcze mi do ucha:

– Niesamowite! To pierwszy taki przypadek! A jeszcze wczoraj miał schizofazję. Nie potrafił sklecić ani jednego rozsądnego słowa!

– Schizo-co? – mówi dziadek całkiem przytomnie i siada na łóżku. Nagle robi zdumioną minę i zaczyna kręcić głową. Najpierw ostrożnie, powoli, a potem coraz szybciej, coraz gwałtowniej.

– Jezus Maria, rusza się, rusza! A przedtem się nie ruszała! – i zaczyna huśtać się na łóżku, aż brzęczą sprężyny – jebane, jebane!...

Od jego wrzasków pobudzili się pozostali pacjenci. Jeden krzyczy: która godzina?, drugi krzyczy: dziadek, nie krzycz!, trzeci krzyczy: co się dzieje?!, a dziadek nic, tylko wrzeszczy na całe gardło: rusza się, rusza, jebane!

Słyszę już wrzawę na korytarzu i tupot butów. Wpada pielęgniarka, a za nią gruby pielęgniarz.

– Co jest? – mówi rozespana pielęgniarka.

– Rusza się, rusza! – krzyczy dziadek.

– Co się rusza, panie Jasiu?

– Szyja się rusza. Przedtem to mi głowa, panie tego, nie chodziła, a teraz mi chodzi! Oni mi tu coś zrobili.

Dopiero teraz siostra i pielęgniarz raczyli zauważyć mnie i Marka. Marek widząc, co się święci, odepchnął pielęgniarza, ten jednak popisał się błyskawicznym refleksem. Założył Markowi nelsona.

– Ja mu nic nie zrobiłem! – wrzasnął Marek. – Ja go leczyłem!

– Pan tutaj? – mówi do mnie pielęgniarka. – Co pan tu robi? Proszę natychmiast wracać na salę!

Siostra bierze mnie pod ramię i wyprowadza na korytarz. Nie protestuję. Tymczasem Marek, prowadzony przez pielęgniarza, usiłuję uwolnić się z jego potężnych łap, ale bezskutecznie. Pogarsza tylko sytuację, bo im bardziej się wyrywa, tym mocniej pielęgniarz zgniata mu kark. Zresztą nie wiem, dlaczego Marek tak się opiera. Przecież cokolwiek będzie próbował robić, i tak nic nie wskóra: będzie tak, jak chcą lekarze, pielęgniarze i siostry.

Zaprowadzili nas na salę. Mnie dali spokój i kazali tylko się położyć, natomiast Marka, mimo jego protestów i przekleństw, wrzucili w pasy. Po chwili zjawił się lekarz, pokiwał głową, że tak, że dobrze, i polecił pielęgniarce zrobić Markowi zastrzyk. Ja, słysząc, że będą częstować szprycą, zacisnąłem mocno powieki, udając, że od dawna słodko śpię. Zresztą nic takiego przecież nie robiłem, zachowywałem się spokojnie. Ale na wszelki wypadek...

Nazajutrz, gdy się przebudziłem, Marka na sali nie było. Myślałem z początku, że gdzieś wyszedł, że może jest w ubikacji, albo poszedł na przechadzkę, ale ponieważ wciąż nie wracał, zresztą wczoraj w nocy wrzucili go w pasy, a trudno podejrzewać, że mógłby się sam uwolnić, pomyślałem, że jego zniknięcie to sprawa lekarzy. Zastanawiałem się, co się z nim stało. Zapytałem Goebbelsa, czy nie wie, co się stało z Markiem. Goebbels jednak, zamiast odpowiedzi, krzyknął: „Heil Hitler!", więc zrezygnowany rzuciłem hasło: „Norymberga!" – i nieszczęśnik schował się pod kołdrę.

Poranny obchód. Krótki. Zimiński rozpoczyna od Goebbelsa. Lekarz z brodą w kilku słowach mówi o nawrocie i potrzebie zwiększenia dawek leków. Zimiński kiwa głową, że tak. Patrzy na Goebbelsa trzęsącego się ze strachu pod kołdrą i mówi, że należałoby też wprowadzić integrin. Myślę sobie: tak działa „Norymberga". Zimiński pewnie nie ma pojęcia, jak takie hasło działa na Goebbelsa i to jest szczególnie zabawne. Psychiatria to zestaw leków i rutynowych czynności, a tymczasem kluczem do poznania reakcji chorego i właściwego leczenia, często jest nie medycyna, lecz psychologia i dokładna analiza zachowań. Na to jednak zagoniony psychiatra ma mniej czasu niż na przykład współpacjenci z sali, na której leży chory...

– No i jakże się pan czuje, panie Andrzeju? – mówi Zimiński i podchodzi do mojego łóżka.

– Dobrze.

– A co to było w nocy?

– Nic.

– Nic? Chciałbym z panem porozmawiać po obchodzie. Proszę stawić się w moim gabinecie za godzinę.

Lekarze wychodzą z sali. Zimińskiemu pewnie chodzi o to, co robiliśmy z Markiem, choć przecież nic takiego się nie stało. Marek zniknął na dobre. Ciekawe, co się z nim stało?

– Na miłość boską, co pan wyprawia?! Czy pan się zaindukował paranoją od Krynickiego?! Pan uczestniczy w tych jego zwariowanych misteriach, i co, czy pan myśli, że nikt o tym nie wie?

Na wszelki wypadek robię zdumioną minę.

– Pan jako lekarz wie o raportach. Czy pan nie zdaje sobie sprawy, że cokolwiek chory robi albo mówi jest skrzętnie odnotowane? Przecież mówił mi pan, że ma pan dość pobytu tutaj. Chce pan stąd wyjść, czy nie?!

Potakuję ruchem głowy.

– To dlaczego pan utrudnia mi zadanie?!

Milczę, a Zimiński naciera:

– Niechże pan powściągnie emocje i spojrzy na swą sytuację obiektywnie. Albo zachowuje się pan normalnie i wychodzi, albo... Ciekawe, myślę, dlaczego robi z tego aż taką aferę? I co się dzieje z Markiem?

– Czy pan nie wie – mówi dalej Zimiński – co pan ma w papierach? *Schizophrenia paranoides.* Nieźle pan to symulował. W porządku, musiały być jakieś podstawy pańskiego pobytu. Ale ostatnio po obchodzie pada: *paranoia vera.* Plus to poprzednie. Pan wie, co to znaczy? Dwoję się i troję, żeby pana z tego wyciągnąć, ale jeśli nawet stażyści patrzą na mnie podejrzliwie, że tak pana bronię, to co ja mam robić? No niech pan powie: co ja mam w takiej sytuacji zrobić?

Faktycznie, trzeba uważać. Może Zimiński ma rację? Może Marek naprawdę jest paranoikiem, paranoikiem o żelaznej logice, a przez to jeszcze bardziej niebezpiecznym, bo potrafi przekonać do swej idei-fix każdego, nawet mnie, i niepostrzeżenie zaindukować swą paranoję?

– Czy mógłby mi pan wytłumaczyć – mówi Zimiński – co pan właściwie robił w nocy na tamtej sali z Krynickim?

– Wie pan – mówię ostrożnie – to bardzo ciekawy przypadek. Zainteresował mnie swoimi opowieściami. Jest bardzo syntoniczny i towarzyski. Chciałem poznając chorych popatrzyć na niego bliżej i na te jego zabiegi również.

Zimiński mruczy coś pod nosem. Moje słowa chyba trafiły mu do przekonania.

– No dobrze – mówi wreszcie – ale niech pan więcej tego nie robi. Nawet poznawanie ma swoje granice. Tym bardziej tutaj.

– A co z Krynickim? – pytam. – Czy coś mu się stało?

– Zwykle po tych wyskokach dobrze mu robi izolatka. Uspokaja się i szybko przychodzi do siebie.

– Długo tam będzie?

– A dlaczego pan pyta? – mówi Zimiński i mierzy mnie nieuf-
nym spojrzeniem.

– To świetny materiał do obserwacji – odpowiadam wykręt-
nie. – Mimo wszystko ten chory jest kontaktowy, a tu na oddziale
to naprawdę rzadkość.

– Zwykle trzymamy go w izolatce parę dni, żeby się uspokoił,
a potem wraca na salę. Myślałem nawet, żeby go przenieść na
stałe, jego albo pana.

– Jeżeli chciał go pan profesor przenieść, to nie ma sprawy.

– Myślałem, że ten chory ma na pana zbyt wielki wpływ. Ma
dosyć ekspansywną osobowość. Ale skoro pan go obserwuje,
zostawię was razem.

Marka nie było przez cztery dni. Przez ten czas wynudziłem
się setnie. Nie było nawet do kogo ust otworzyć. Odkąd Marek
wprowadził mnie na świetlicę i przedstawił jako lekarza, agresywni
dotąd chorzy najwyraźniej dali mi spokój. Mogłem przynajmniej
z większym poczuciem bezpieczeństwa włóczyć się po korytarzu
i po oddziale. Nikt też nie przeganiał mnie ze świetlicy, nie kazał
czyścić butów i nawet niektórzy skłonni byli zamienić ze mną parę
zdawkowych słów, choć, odwrotnie niż kiedyś, teraz już nie szukałem towarzystwa i nie starałem się na siłę wypytywać pacjentów o ich doznania. Posmakowałem szpitalnego życia wystarczająco, by poznać stosunki panujące na oddziale tak pomiędzy sa-
mymi pacjentami, jaki i między nimi, a personelem i by zrozumieć, że szpitalne życie, o ile w ogóle można o nim mówić, jest
co najwyżej podporządkowane rozkładowi dnia, porom przyj-
mowania posiłków i zażywania tabletek, dyscyplinie oddziału
i rytuałowi wywiadów lekarskich. Tajemne konszachty między

chorymi, wewnętrzna organizacja i próby zorganizowanego oporu grup pacjentów wobec lekarzy, to tylko mit. Myślałem, że odkryję Amerykę, a tymczasem tylko zmarnowałem czas, żeby zaprzeczyć istnieniu takich mitów i przekonać się, że chorzy są tak pochłonięci własną chorobą, że nic innego i nikt inny dla nich nie istnieje. Tyle jest światów, ilu pacjentów. Są to światy, o których żaden z chorych mówić nie chce. Bardziej skłonny jest opowiadać o nich umiejętnie wypytującemu lekarzowi niż znajomemu z sali. Lekarz jest symbolem władzy. Autentycznej i wszechpotężnej tak bardzo, że nawet schizofrenicy rozumieją to i godzą się właśnie lekarzowi mówić to, czego nie powiedzieliby być może nawet własnej matce. Lekarz, dając odpowiednie tabletki i zastrzyki, przynosi ulgę. Upiorne wizje znikają. Głosy milkną. Myśli, które dotąd ktoś odciągał, znów dają się pomyśleć. Zdrowie. Poczucie, że wszystko jest w porządku. Dziwny paradoks: nawet psychicznie chory czuje potrzebę bycia „normalnym", cokolwiek by to znaczyło. Wracając do zdrowia, choć jeszcze niezupełnie, to przecież bardzo długi proces, chorzy czują ulgę, gdy objawy schizofrenii powoli ustępują. Przychodzi mi do głowy dziwna myśl. Myślę: czy schizofrenia może być piękna? Na przykład schizofrenia pisarza, który dzięki chorobie odnalazł genialną wizję swojej dotąd niespełnionej powieści? Albo schizofrenia wielkiego malarza, który ujrzał w oknie namalowany przez zrodzone w wyobraźni potwory obraz swojego życia? Wyliczam w pamięci poczet genialnych chorych, schizofreników, psychopatów, paranoików, cyklofreników: van Gogh, Proust, Goethe, Beethoven, Newton, Goya, Witkacy, Gombrowicz, Nikifor... Czy choroba, odstępstwo od tak zwanej normy psychicznej, czymkolwiek by ona była, może być genialnym spełnieniem dotąd niespełnionych idei? Idei tym wartościowszych, że chorzy ci pozostają na zawsze w historii, zapisani w księdze rodzaju ludzkiego złotymi zgłoskami? Chorzy, którzy wyznaczają ideały zdrowym... Więc jeśli tak zwana „norma psychiczna" jest uśrednioną statystycznie sumą nienormalności każdego z nas, to właściwie kto ma prawo wyznaczać nam dalszą drogę? A jeżeli uznajemy geniusz człowieka uznawanego za psychicznie chorego i my, podobnież zdrowi, uważamy go za niedościgły ideał, wzór, to czy aby jesteśmy do końca zdrowi, skoro uznając ów ideał, chcemy kroczyć jego drogą, zachwycamy się jego osiągnięciami i rozumiemy jego prace, choć negujemy prawo ludzi psychicznie chorych do normalności w naszym zwykłym, normalnym tego słowa rozumieniu?

Chociaż zdaję sobie sprawę, że są to jałowe rozważania chorego z nudów umysłu, pozbawionego zwykłej dawki bodźców, spaceruję po korytarzu szpitala dla psychicznie chorych i zastanawiam się, który z nich osiągnie więcej niż my, zdrowi i normalni?...

Dziś rano pielęgniarz, gruby osiłek, przyprowadził na salę Marka. Marek uspokoił się i wyciszył. Widocznie zadziałał efekt izolatki, o którym wspomniał Zimiński.

Gdy Marek legł na łóżku, a pielęgniarz, uznawszy że zrobił swoje, wyszedł, zapytałem Marka, jak było w izolatce.

– Normalnie – odparł Marek. – Wiedzą, sukinsyny, że boję się samotności. Trzymają mnie tam parę dni, żebym zmiękł. Zdążyłem się przyzwyczaić. To ich stały numer. Opowiem ci kawał. Idzie wariat po korytarzu i ciągnie za sobą na sznurku kalosz. Przechodzi doktor, patrzy na wariata i mówi: no i jakże się miewa pański piesek, Filuś? Jaki piesek, mówi wariat, jaki Filuś? To przecież zwykły kalosz! O, mówi doktor, widzę, że pan już wyzdrowiał i można pana wypisać. Doktor odchodzi, a wariat mówi do kalosza: patrz, Filuś, jak żeśmy go oszukali! – i Marek wybucha śmiechem.

– No – mówi i patrzy na mnie – dlaczego się nie śmiejesz?

– Bo wcale nie jest mi do śmiechu. To cholernie głupi kawał. Głupi jak but! Jak ten kalosz!

– A co – mówi Marek i puszcza do mnie oko – panowie doktorzy nie dali się oszukać, co? Albo wręcz przeciwnie. Dali się oszukać aż za dobrze i teraz nie ma jak wyjść? Jak wyjść, jak wyjść nie można, jak nie ma jak?

– Daj spokój! Zebrało ci się na dowcipy – mówię, zgrzytając zębami.

Na wczorajszym obchodzie zabrakło Zimińskiego. Trochę się zdziwiłem, ale różne rzeczy mogą się przecież zdarzyć. Zaniepokoiłem się dopiero dziś, gdy znów nie pojawił się na obchodzie. Wszystko to wydało mi się to trochę dziwne. Marek też zwrócił uwagę na jego nieobecność. Po porannym rytuale wypluwania tabletek, wyszedł z sali, by zasięgnąć języka i po kwadransie wrócił z rewelacjami.

– Słuchaj – mówi Marek – ale heca! Ty wiesz, że Zimiński wykorkował?!

– Żartujesz!

– Mówię poważnie. Podobno przedwczoraj w nocy dostał zawału i od razu się zawinął, nawet nie było co zbierać. Nie jest źle! Jest szansa, że może jakoś mnie stąd wypuszczą. Ostatecznie to on trzymał rękę na pulsie.

– To świet... – zaczynam mówić i nagle włos jeży mi się na głowie. On, myślę, może i wyjdzie, a ja?! Przecież tylko Zimiński wiedział, co ja tu robię.

– Coś tak pobladł? – mówi Marek i przygląda mi się badawczo.

– Ty może stąd wyjdziesz, a ja? Jak ja stąd wyjdę?

– Normalnie. Przecież jesteś zdrowy.

– Tylko Zimiński o tym wiedział! Tylko on!

Sam nie wiedząc, co robię, chwytam Marka za ramiona i potrząsam nim jak bezwolną kukłą.

– Zostaw! – Marek wyrywa się i odskakuje na bezpieczną odległość.

Zwalam się na łóżko i skrywam twarz w dłoniach, usiłując zebrać myśli. Nic nie przychodzi mi do głowy. Czuję niejasno, że moja sytuacja wcale nie jest wesoła. Podnoszę głowę i patrzę bezradnie na Marka. Podchodzi bliżej. Patrzy na mnie w skupieniu, marszcząc brwi.

– Fakt. Trochę ci się skomplikowało. Ale głowa do góry. Cudów nie ma. Zresztą przecież każdy może zaświadczyć, że jesteś normalny.

– Takie to, mówisz, proste? A ty? Co z tobą?

– Ze mną to inna historia. Zresztą sam wiesz. Nakaz sądowy. Łakomy kąsek, jakim były moje eksperymenty. Pozycja. Walka o stołki. Co ty chcesz porównywać? Ciekawskiego harcerzyka z ordynatorem? Wiesz, nie wywyższam się, zresztą jesteś jedyną rozsądną osobą, z jaką mogłem tu pogadać, ale nie zapominaj, że nawet jeśli teraz tu gniję, to byłem kimś, a ty jako lekarz dopiero startujesz, a w dodatku zdarzył ci się właśnie falstart. Jesteś normalny, nic nie przeskrobałeś, wyroku sądowego nie masz i nikt nie ma powodu, by ci szkodzić. Jesteś wolny człowiek i w dodatku zdrowy. W razie czego sam powiesz, co i jak. Będzie tylko trochę śmiechu.

– Myślisz? – mówię i powoli zaczynam się uspokajać. – A jak nie uwierzą?

– No to zrobią ci WISKAD i sprawa się wyjaśni.

– Robili mi już WISKAD – mówię ponuro.

– Sam widzisz!

– Tak, ale ja wtedy symulowałem! Symulowałem schizofrenię i dali się na to złapać.

– Symulowałeś WISKAD? – mówi Marek i patrzy na mnie z niedowierzaniem. – Pierwsze słyszę, żeby komuś udało się symulować WISKAD. A może ty jesteś autentyczny świr?

– Taki sam jak ty, baranie! A jak – mówię – miałem udowodnić, że jestem autentycznym pacjentem? Przecież nie mogli od razu się domyślić, co i jak. Dopiero byłby skandal. Lekarz jako obserwator!...

– Ojej – mówi Marek. – Wielkie rzeczy!... I tak w końcu musiałoby się wydać. Zresztą co to takiego? Mówię: pośmialiby się trochę i to wszystko.

– W każdym razie symulowałem i dali się na to złapać. Tylko Zimiński wiedziałby, że to udawanie.

– No to powiesz, że symulowałeś, wyjaśnisz całą sytuację i zażądasz powtórnego badania albo konsylium z zewnątrz, albo co...

– Ale oni są przekonani, że ześwirowałem. Nawet nie mają pojęcia, że jestem lekarzem!

– No to teraz się dowiedzą. Mówię ci: wszystko się wyjaśni. Nie ma dramatu. To nie średniowiecze.

– Masz rację – mówię i podrywam się z łóżka.

– Gdzie idziesz?

– Zadzwonić. Chcę mieć to wszystko za sobą.

Wybiegam na korytarz, pędzę do automatów, ale w połowie drogi przypominam sobie, że nie mam monet. Więc zawracam na salę.

– Masz żetony do automatu? – mówię zdyszany do Marka.

– Nie mam.

– I co ja teraz zrobię?!

– Przede wszystkim uspokój się. Słowo honoru, teraz naprawdę przydałby ci się jakiś psychotrop na uspokojenie. Człowieku, ty cały chodzisz! W takim stanie nic nie wymyślisz. Gdybyś działał spokojnie i ruszył głową, wpadłbyś na to, że żetony będą mieli w kiosku... Hej, gdzie lecisz? Poczekaj, jeszcze jedno...

Ale ja już biegnę do kiosku. Po drodze wyobrażam sobie wszystko co najgorsze: że nie mają ani jednego żetonu, bo chorzy już wykupili, że kiosk zamknięty, że...

Na szczęście kiosk jest otwarty.

– Może mi pani rozmienić to na żetony do automatu? – z duszą na ramieniu pytam kioskarkę i podsuwam jej garść drobnych.

– Wszystko?

– Ile się da – mówię i myślę: nie będzie, nie będzie...

Sprzedawczyni gmera w szufladzie.

– Proszę – mówi i wydaje mi dziesięć żetonów.

Oddycham z ulgą. Zgarniam bilon z lady i maszeruję do telefonu. Drżącą ręką podnoszę słuchawkę, wkładam żeton do przegródki i... i wtedy uświadamiam sobie, że w słuchawce panuje głucha cisza. Żadnego sygnału. Walę w widełki, bębnię pięścią w obudowę...

– Idziesz stąd, ty wariacie?! Będzie tu telefon psuł!...

To zwabiona hałasami salowa wychyla głowę z kuchni.

Tego nie przewidziałem. Przychodzi mi do głowy, by spróbować zadzwonić z aparatu w gabinecie lekarskim. Szansa jest nikła, na pewno odmówią, ale spróbować trzeba.

W gabinecie siedzi ten zabawny lekarz z tikami. Dla niego tiki oczywiście zabawne nie są, ale dla otoczenia – owszem, i to bardzo.

– Czy mogę stąd zadzwonić?

– Przecież są automaty – lekarz kiwa potakująco głową i puszcza do mnie oko. – A co, zepsute?

– Zepsute...

– No wie pan, to trudna sprawa. Pacjenci nie mogą korzystać z tego telefonu.

– Ja zapłacę.

– No ale ile? Nie wiadomo, jaki będzie rachunek. Pan gdzieś tam dzwoni, a rachunek jest jeden, za wszystkie rozmowy. A potem szefowie mają pretensje, że za duże rachunki.

– Będę mówił krótko, naprawdę. Sprawa jest bardzo ważna. Powiem tylko kilka słów i położę słuchawkę. Słowo honoru! Proszę mi pozwolić... – i błagalnie patrzę mu w oczy.

Lekarz z tikami mrugnął do mnie lewym okiem, potrząsnął dwa razy głową i mówi:

– Ale naprawdę krótko.

– Dziękuję bardzo.

Chwytam słuchawkę i wykręcam ciąg numerów. Trochę drżą mi ręce, ale już mniej, jestem teraz spokojniejszy.

Długo nikt nie podnosi słuchawki, aż w końcu odzywa się kobiecy głos.

– Halo?

– Dzień dobry, mówi Andrzej Majer. Chciałbym rozmawiać z ordynatorem Walasem.

– To... to chyba pomyłka...

– Czy to szpital psychiatryczny?

– Głupie żarty! – i kobieta rzuca słuchawkę.

Dziwne. Przecież numer pamiętam. Złe połączenie? A może jednak się pomyliłem?

Lekarz z tikami przygląda mi się nieufnie i gdy zaczynam po raz drugi wykręcać numer, kładzie rękę na widełkach.

– Dosyć – mówi – wystarczy! Proszę wracać na salę.

– Jeszcze tylko raz...

– Powiedziałem: dosyć tych żartów – i wyrywa mi słuchawkę z dłoni.

– Jeszcze tylko raz – mówię i chcę odebrać mu słuchawkę.

– Na salę, mówię! Czy mam wezwać pielęgniarza? Pan nie rozumie, co się do pana mówi?!

Rad-nierad daję za wygraną i kieruję się do wyjścia. Ale stojąc już na progu, odwracam się.

– Panie doktorze, chciałbym z panem porozmawiać.

– Tak? – mówi i patrzy na mnie z wyraźną niechęcią – słucham.

– Mogę usiąść?

– Dobrze – mówi i patrzy na zegarek – ale proszę krótko.

Podchodzę bliżej i siadam na krześle naprzeciwko biurka. Od czego by tu zacząć? Lekarz patrzy na mnie zniecierpliwiony. Mruga do mnie raz po raz.

– No?

– Zacznę może od początku. Chciałbym coś wyjaśnić...

– No to – mówi bębniąc palcami po biurku i potrząsając głową – proszę wreszcie zacząć wyjaśniać – i mruga okiem.

– Widzi pan, ja jestem lekarzem, lekarzem psychiatrą i prowadzę tu badania...

Z tikami żachnął się nieprzyjemnie.

– Drogi panie, jeżeli tylko to chciał mi pan powiedzieć, to wszystko jasne. A teraz proszę wracać na salę.

Nie zrozumiał i nawet nie usiłował. Potraktował mnie jak schizofrenika, któremu potężnie odbiło. Wiedzą, że jestem chory i nawet mam rozpoznanie. Sam na to zresztą uczciwie zapracowałem. Dopiero teraz uświadamiam sobie, jak nieprawdopodobnie musiało zabrzmieć to, co powiedziałem. Tutaj każdy jest nie tym, kim jest naprawdę, ale tym, kim chciałby być albo za kogo chciałby być uważany przez innych. Pojąłem, że odtąd ta rozmowa nie ma sensu. Zresztą lekarz z tikami najwyraźniej nie jest w nastroju do rozmów. Chyba jest czymś zdenerwowany, bo mruga niemal bez przerwy i potrząsa głową jak opętany. Myślę: jeżeli ktoś jest tu chory, to on, a nie ja. Tymczasem on uważa się za zdrowego, a ja, zdrowy, mam etykietkę wariata.

– Zechce pan teraz wrócić na salę.

Podnoszę się z krzesła i bez słowa wychodzę. Tak, myślę idąc po korytarzu, do takiej rozmowy trzeba się najpierw przygotować.

Żadnej improwizacji. I trzeba porozmawiać z kimś wyżej, na przykład z zastępcą Zimińskiego. Trzeba wyjaśnić sytuację, ale musi to być wyjaśnienie przekonujące – i aż śmieję w duchu z myśli, która właśnie przyszła mi do głowy: muszę udowodnić, że nie jestem wielbłądem. Ale tak naprawdę wcale nie jest mi do śmiechu. Tylko Walas mógłby mi teraz pomóc, tylko on oprócz Zimińskiego wiedział, co tu robię. Trzeba go jak najszybciej powiadomić. Musi być jakiś sposób...

Leżę, i choć dochodzi już północ, nie mogę zasnąć. Marek oczywiście śpi w najlepsze, pochrapuje przez sen, a ja tylko przekręcam się z boku na bok i wciąż myślę o sytuacji, w której się znalazłem. Myślę też o tym, co mi Marek radził. Dla niego wszystko jest proste. Może dlatego, że jest tu już od tak dawna i że jego sytuacja jest o wiele gorsza. Sypał rozwiązaniami jak z rękawa: próbować skontaktować się z moim oddziałem, zrobić powtórne badania, zażądać dodatkowej konsultacji medycznej, powiadomić znajomych, wyjaśnić sytuację nowemu ordynatorowi, zarządzić konfrontację, błysnąć wiedzą medyczną...

Marek pomagał mi nawet ustalić plan ewentualnej rozmowy z następcą ordynatora Zimińskiego, ale w końcu, zmęczony moim ciągłym powątpiewaniem, usnął. Z pewnością miał rację, ale najlepszym rozwiązaniem byłoby jednak powiadomienie Walasa, tylko jak można szybko się z nim skontaktować? List też jest jakimś wyjściem, ale to trwałoby zbyt długo. A gdyby na przykład zginął na poczcie albo gdyby utknął w stercie z innymi listami, jakie szef dostaje niemal codziennie, a zdarza się, że nawet ich nie czyta?

– No i jak się czujemy?

124

Lekarz z tikami mruga do mnie po swojemu. Dziś może nawet jest to mrugnięcie ironiczne, może nawet porozumiewawcze, jeśli pamięta wczorajszą rozmowę. Nie mam jednak ochoty wdawać się z nim po raz drugi w jałową dyskusję, toteż pytam wprost:

– Kto zastępuje ordynatora Zimińskiego?

– Ja – mówi jakiś lekarz z brodą uczestniczący w obchodzie.

– A dlaczego pan pyta?

– Muszę z panem porozmawiać po obchodzie.

– A nie możemy teraz? – mówi cokolwiek zaskoczony. – Właśnie na obchodzie pacjenci mają okazję porozmawiać z lekarzem. Proszę mówić, słucham.

– To dłuższa historia.

– No więc dobrze. Proszę za godzinę przyjść do mnie. Albo jak będę wolny przyślę po pana pielęgniarkę.

Kiwam głową, a obchód przechodzi do Goebbelsa, który leży jak trusia i już na dobre przestał wtrącać się do moich rozmów z Markiem, przerażony perspektywą Norymbergi.

– Twierdzi pan – mówi lekarz z brodą – że jest pan lekarzem? Więo dlaczego podawał pan przedtem, ze jest pan z zawodu elektrykiem?

– Przecież mówiłem. Chciałem być traktowany jako pacjent.

– Cóż, profesor Zimiński niestety nie może potwierdzić pańskiej wersji wydarzeń. Znalazł pan sobie świadka, który niczego zaświadczyć nie może. Faktem jest, że ta wersja wydaje się być logiczna, może nawet zbyt logiczna...

– ...jak na chorego, prawda? – wpadam mu w słowo. – Tłumaczę panu, że nie jestem chory, że to wszystko było grą. Jak mogę pana o tym przekonać?!

– Ależ proszę się uspokoić, wszystko jest w porządku.

– Nic nie jest w porządku – uderzam pięścią w biurko. – Nic! Uwierz mi, człowieku, że mówię prawdę! To wszystko można sprawdzić!

– Proszę się uspokoić, albo będę zmuszony natychmiast skończyć tę rozmowę. A tak na marginesie chciałbym przypomnieć, że wypełniał pan szereg kwestionariuszy. Przypomina pan sobie?

– Chodzi o WISKAD, tak? Więc powiem otwarcie: symulowałem. Po prostu symulowałem.

– Cóż, więc twierdzi pan, że pan wtedy symulował? Pan symulował test WISKAD? A jak nazwałby pan swoje obecne postępowanie? Rozumiem, że zależy panu, aby opuścić ten szpital, prawda?

– To chyba oczywiste.

– Tak, to oczywiste – mówi i patrzy na mnie badawczo. – Większość chorych chciałaby opuścić nasz oddział, ale jest to niemożliwe, dopóki nie pozwala na to stan chorego. Ponieważ, jak zauważyłem, wiele pan rozumie z tego, co się dokoła dzieje, sądzę, że i to jest dla pana jasne.

– Że niby co?

– Że może tylko wydaje się panu, że jest pan lekarzem...

– Przecież to można łatwo sprawdzić! Wystarczy skontaktować się z profesorem Walasem. Jestem jego asystentem.

– A skąd wzięło się pańskie przekonanie, że jest pan lekarzem psychiatrą?

Mur. Oddziela nas mur uprzedzeń i przekonań. On mi nie wierzy, to oczywiste. Jestem dla niego po prostu chorym, który utożsamił się akurat z psychiatrą. Jest o tym tak bardzo przekonany, że za nic nie może przyjąć moich wyjaśnień jako zgodnych z prawdą. Nie wiem, co mam robić, jak go dalej przekonywać, ale jeżeli nie przekonam jego, następcy Zimińskiego i ordynatora tego oddziału, nie przekonam nikogo. Będę tu tkwił nie wiadomo jak długo, ja, zdrowy, normalny człowiek, który po prostu nie potrafi udowodnić swojej normalności, jeśli już raz symulował i został zaklasyfikowany jako schizofrenik.

– Żądam przynajmniej przeprowadzenia powtórnych badań – mówię. – To chyba możecie dla mnie załatwić. Nie żądam wszak zbyt wiele, prawda?

– Mogę pana zapewnić, że postaram się wszystko wyjaśnić.

– Żądam też, aby przebadał mnie konsultant spoza tego szpitala, który być może rozwieje pańskie wątpliwości co do tego, czy jestem zdrowy, czy też nie.

– Twierdzi pan więc, że pracuje pan na oddziale profesora Walasa, o ile dobrze zrozumiałem, tak?

– Tak – mówię – i jeśli nie chce pan mieć kłopotów, niech pan to jak najszybciej sprawdzi. Nazywam się Andrzej Majer.

– Jak?

– Andrzej Majer – mówię. – Niech pan to zapisze – dodaję, bo wciąż kiwa głową, że tak, że rozumie, ale ja wiem: chce, żebym się uspokoił, żebym się wygadał i wreszcie sobie poszedł, a on wówczas spokojnie, zgodnie z własnym przeświadczeniem dopisze w karcie mojej choroby: „nasilone urojenia, utożsamienie z postacią lekarza" i w związku z zaostrzeniem się choroby doło- ży mi większe dawki leków.

– Jeżeli nie chce się pan skontaktować ze szpitalem, w którym pracuję – dodaję – to może chociaż powiadomi pan moją żonę, że tu jestem. Przy okazji pan też mógłby z nią porozmawiać i prze- konać się, kim jestem naprawdę. Mam chyba prawo do widzeń.

– A nie może pan sam jej powiadomić? Są przecież telefony. My tutaj nie zabraniamy chorym dzwonić. A widzenia, jak pan wie, są w środy i w niedziele...

– To nie takie proste. Stąd nie mam jak zadzwonić. Automat jest zepsuty. Próbowałem zadzwonić z gabinetu lekarskiego, ale pacjentom dzwonić nie wolno. Mieszkamy na drugim końcu Polski. Zresztą wolałbym, żeby pan zadzwonił osobiście i porozmawiał z moją żoną, a wtedy sam się pan przekona, że nie mówię od rzeczy. O ile wiem, wywiad środowiskowy jest ważnym uzupełnieniem karty chorobowej, nieprawdaż?

– Oczywiście – patrzy na mnie jakoś tak dziwnie, jakby z większym zrozumieniem. – Jeśli poda mi pan numer telefonu, spróbuję się skontaktować.

Z duszą na ramieniu podaję mu numer telefonu do Marii. Dopiero teraz uświadamiam sobie, że nie było to najlepsze rozwiązanie. Od dawna nie mamy sobie nic do powiedzenia. Żyjemy prawie w separacji. Ciekawe, jak Maria zareaguje na to, że leżę w szpitalu psychiatrycznym podejrzany o chorobę. Pewnie weźmie to za dobrą monetę i będzie miała dziką satysfakcję, o ile oczywiście w ogóle ją to obejdzie. Nie wiem zresztą, czy zdecyduje się do mnie przyjechać. Ale teraz, właśnie teraz, jest mi bardzo potrzebna. Jako alibi. Jako świadek, że jednak nie jestem wielbłądem. Jej na pewno uwierzą. Będą ją wypytywać, czy rzeczywiście jestem lekarzem, potem skontaktują się z Walasem, który wszystko potwierdzi, dopowie resztę i sytuacja nareszcie się wyjaśni.

Po powrocie na salę długo rozmawiałem z Markiem. Goebbels usiłował nieśmiało się wtrącić, ale jak zwykle został postraszony Norymbergą i uspokoił się natychmiast.

Zdałem Markowi relację z przebiegu wizyty u zastępcy Zimińskiego. Marek wreszcie przyznał, że sytuacja nie jest wesoła, choć udało mu się mnie przekonać, że próba skontaktowania się z Marią poprzez władze szpitala z pewnością mi nie zaszkodzi, a może tylko pomóc. Niezależnie od tego powinienem jednak powiadomić o wszystkim Walasa. Marek doradzał list, ale postanowiłem, że wstrzymam się z pisaniem listu. Jeżeli szpital skontaktuje się z Marią, uczyni to niezwłocznie. Z pewnością będą zadawać jej jakieś pytania i dowiedzą się, kim jestem naprawdę, a wówczas zadzwonią do Walasa, który potwierdzi resztę, więc sprawa mogłaby się rozwiązać jeszcze zanim taki list zdążyłby do Walasa dotrzeć. Przy odrobinie szczęścia mógłbym wyjść stąd jutro lub pojutrze.

Myślę o tym, co było kiedyś. Chociaż zdaję sobie sprawę, że ten „ja" sprzed kilku tygodni, to już nie ten sam „ja" co dzisiaj. Pobyt w szpitalu w charakterze pacjenta mimo wszystko jakoś na mnie wpłynął, czuję to, choć nie umiałbym określić, na czym ten wpływ polega.

Zastanawiam się, co mogli czuć chorzy, autentyczni chorzy na moim oddziale. Na przykład chorych ze schizofrenią paranoidalną w żaden sposób nie można było przekonać, że ich urojenia są niedorzeczne. Schizofrenia polega właśnie na braku krytycyzmu. Ich urojenia i omamy są kompletnie odrealnione i na nic zdadzą się jakiekolwiek tłumaczenia, że nie jest tak, jak im się wydaje. Niezachwiana wiara w realność wytworów ich chorych mózgów łączy ich w jedną wielką rodzinę chorych psychicznie. Tak jak nie rozumiałem ich dotąd, tak nie rozumiem dzisiaj, jako teoretycznie jeden z nich, ale wciąż człowiek przy zdrowych zmysłach. Nie potrafię sobie wytłumaczyć, że mógłbym pogodzić się z pobytem tutaj, próbować przeczekać ten koszmar. Nigdy nie będę wiedział, co myślą i czują schizofrenicy, parafrenicy, paranoicy, nie mówiąc już o psychopatach, cyklofrenikach i nerwicowcach, skoro brak jakichkolwiek analogii i wskazówek. Zawsze byłem tego ciekaw, ale teraz wydaje mi się to szczególnie ważne. Nie wiem, naprawdę nie wiem. Nierealny strach. Nierealną obawę.

Może jakieś poczucie wrogości świata i poczucie krzywdy. Przerażającą obcość i grozę wydumanego w chorym mózgu świata. Paraliż nonsensem noszącym znamiona realności. Tabletki... Zastrzyki.... Tak, to pomaga. Oczywiście środki leczą i mają leczyć, ale leki tylko usuwają objawy, łagodzą przyczyny. Skoro mózg jest tajemnicą, a jego funkcjonowanie wielką niewiadomą, tak samo i tabletki są w gruncie rzeczy loterią. Na każdego działają inaczej, na jednych znakomicie, na innych wcale, a innym wręcz szkodzą. chociaż też nie wiadomo dlaczego, toteż pozostaje tylko wypracowany schemat leczenia lub ryzykowne eksperymenty. Tak, schemat w służbie normalności. Leczyć, żeby znormalnieli. A przecież nawet nie wiadomo, czym jest norma. I kto jest normalny. I jak bardzo. Albo dlaczego nie jest i kiedy to się zaczyna, a kiedy kończy. Syndrom łysego: ile trzeba mieć włosów, żeby nie być łysym? Więc jak i na co leczą mnie, jeżeli w ogóle można mnie na cokolwiek leczyć?...

Milczę. Oddaję mu inicjatywę. To on chciał ze mną rozmawiać. Pewnie ma mi coś ważnego do powiedzenia.
– Jak się pan czuje?
Aż podskoczyłem na krześle. Zdenerwował mnie tym idiotycznym, zdawkowym pytaniem.
– A jak się może czuć zdrowy człowiek zamknięty w domu wariatów?! – zaczynam ostro, ale myślę: to nie ma sensu, nic nie zmienia, a tylko pogarsza moją sytuację, więc mówię już spokojniej: – Dobrze.
– No to dobrze – mówi odruchowo lekarz z brodą i widocznie przyłapuje się na tym, że to tylko odruch, bo natychmiast zmienia temat. – Czy sądzi pan, że przetrzymujemy tu pana na siłę?
– A nie?

130

– Czuje się pan zagrożony? Pan się czegoś boi?

– Nie, ale za to chyba wy boicie się tego, że ja mógłbym wyjść.

– Tak pan sądzi? A dlaczego?

– To pan nie wie?... – zaczynam, ale znów zapala się czerwone światełko: nie powinni wiedzieć, że ja wiem, co tu się dzieje: Marek, Albert, Kowalski... I nagle wpadam na genialny pomysł. Marek ma wyrok sądowy i to jest sytuacja rzeczywiście bez wyjścia, a przecież ja żadnego wyroku nie mam. Ubezwłasnowolniony też nie jestem, więc po prostu mówię, że chcę wyjść i najzwyczajniej w świecie wychodzę. W świetle prawa nie mogą mnie tu trzymać, jeżeli się na to nie godzę. Trzeba ich postraszyć. Prawo jest za mną. Muszą wiedzieć, że nie dam się tu trzymać jak wieprz. Chorzy co prawda nie znają swoich praw, ale w każdym podręczniku pisano o prawnych aspektach i konsekwencji trzymania świadomych pacjentów bez ich zgody w szpitalu. Ostatecznie ustawa o zdrowiu psychicznym dopiero jest wprowadzana i dlatego sytuacja jest trochę niejasna, ale zdarzało się, że paranoicy-pieniacze, a paranoicy są przecież dość logiczni, podawali lekarzy do sądów za naruszenie prawa do wolności osobistej i któremuś nawet udało się sprawę wygrać.

– Pyta pan dlaczego? Choćby dlatego, że nie jestem skazany przez sąd i nie jestem ubezwłasnowolniony, więc mam prawo decydować o sobie, gdzie chcę być, a gdzie nie chcę. Trzymacie mnie tu bezprawnie. Mógłbym złożyć skargę w prokuraturze i zrobię to, jeśli będzie trzeba. Pan, kolego, zna te sprawy?

– To znaczy?...

– To znaczy, że prawo jest prawem. Jeśli sąd nie nakazał pobytu w szpitalu i nie jest się ubezwłasnowolnionym, to każdy ma prawo wyjść, kiedy mu się podoba. Kiedy chce i gdzie chce.

– Jak to?...

– Nie ma przymusowego trzymania w szpitalu. Chyba, że chory się na to godzi. A ja się nie godzę.

– A katatonicy w stuporze? A agresywni chorzy? Oni według pana też mogą ot tak sobie wyjść?

– Każdy może wyjść kiedy chce i nikogo nie macie prawa zatrzymywać siłą. Macie szczęście, że większość chorych nie ma pojęcia o prawie. Inaczej szpitale psychiatryczne byłyby puste albo co rusz byłyby procesy o naruszenie wolności osobistej. Jako lekarz psychiatra znam się na prawach pacjenta, a poza tym jestem zdrowy, więc żądam respektowania moich praw. Pan tu za mnie odpowiada?

– Nie, ja tylko zastępuję profesora Zimińskiego.

– Myśli pan, że to tak łatwo przetrzymywać na oddziale zdrowego człowieka bez jego zgody?

Lekarz z brodą nerwowo podrapał się po brodzie, a potem zaczął ją skubać. Patrzę na niego wyczekująco, acz z pewnym zniecierpliwieniem. Skoro kazał mnie wezwać, pewnie w jakimś konkretnym celu.

W końcu lekarz z brodą odzyskuje rezon. Poprawia się w fotelu i wlepiając we mnie ciężkie spojrzenie, mówi:

– Poprosiłem pana, bo przyszła pańska żona. Czeka na pana w gabinecie obok. Chce z panem porozmawiać.

Maria!... Usiłuję zapomnieć o niechęci do Marii, o wzajemnych pretensjach i urazach. Tak, ona może mi pomóc stąd się wydostać. Ciekawe, czy już o mnie rozmawiali?

Lekarz z brodą wstaje i prowadzi mnie do sąsiedniego gabinetu. Wchodzimy. Rozglądam się i dostrzegam Marię, która siedzi przy biurku.

– Proszę sobie spokojnie rozmawiać, tu nikt nie będzie przeszkadzał – mówi lekarz z brodą i wychodzi.

Siadam z właściwej strony biurka, jak lekarz, i nie wdając się w dłuższe wstępy, przechodzę od razu do rzeczy.

– Mówiłaś im, kim jestem?

Maria patrzy na mnie, jak na przybysza z obcej planety. Porusza ustami, jakby chciała coś mówić, a z jakiegoś powodu nie mogła. W końcu słyszę jej zmieniony, chrapliwy głos:

– Boże, jak ty wyglądasz!...

Patrzy na mnie i aż załamuje ręce. Kilkudniowy zarost, bo golibroda przychodzi raz w tygodniu, długie paznokcie z żałobą, przetłuszczone włosy, wybrudzona, nieświeża piżama. Muszę prezentować się nieszczególnie.

– Jak wyglądam? Normalnie. Jak wszyscy tutaj. Słuchaj, robią ze mnie wariata. To znaczy usiłują. Ale zaraz wychodzę. Postraszyłem ich prokuratorem, rozumiesz? Teraz muszą mnie wypuścić. Nie bój się, nie zwariowałem. Powiedziałaś im, kim jestem?

Widzę, że chce coś powiedzieć, ale nie wie co. Ma taki tępy wyraz twarzy.

– Powiedziałaś im, kim jestem, czy nie?!

– Tak!

– Pytali o mnie?

– Tak!

– I co im powiedziałaś?

– Tak!...

– Co „tak"?!

– Powiedziałam wszystko tak, jak chciałeś!...

– Co ty pieprzysz?!

Maria zrywa się na równe nogi i rzuca się do drzwi. Wstaję, by ją powstrzymać.

– Czekaj, do cholery!

Ale Maria wybiega na korytarz. Słyszę stukot cienkich obcasów po posadzce. Co jej się stało? Aż tak się przestraszyła domu wariatów? Podbiegam do drzwi i wychylam się na korytarz. Widzę w oddali sylwetkę Marii.

– Powiedz mi tylko, co im mówiłaś!!
Maria odwraca się.
– A co, rzucisz się na mnie, ty wariacie?
– Odpowiedz mi tylko!
– Dawno powinni byli tak z tobą zrobić! Boże, żyłam z idiotą!!

Nagle, czy to pod wpływem wzburzenia, czy też ciągłego po-denerwowania, ciemnieje mi przed oczami. Opieram się o futry-nę. Ucisk w klatce piersiowej, pustka i szum w głowie. Ściany korytarza wirują. Czuję, że zapadam się w jakąś otchłań...

Znów obchód. Zdawkowe pytania lekarza z brodą, zupełnie jakby nic nie zostało wyjaśnione, choć przecież rozmowa z Marią powinna im wyjaśnić wszystko. A może wciąż nie wierzą? To dla-czego nie skontaktowali się z Walasem, który powinien rozwiać im wszelkie wątpliwości? Dlaczego wciąż jeszcze tu leżę, a oni traktują mnie jak chorego?.

Gdy obchód znika na korytarzu, mówię o tym wszystkim Mar-kowi, ale on nie podziela moich obaw. Mówi, że wszystko z pewno-ścią jest na dobrej drodze. Nie zadzwonili wczoraj, to na pewno zadzwonią dziś, choć najlepiej by było, gdybym sam się tym zajął i wziął ster spraw w swoje ręce... Ba! Ale jak to zrobić?...

Leżę, i chociaż jest już po północy, nie mogę usnąć. Marek śpi w najlepsze, a ja tylko przewracam się z boku na bok. Rozważam wszelkie „za" i „przeciw" i gorączkowo szukam wyjścia z matni. Lekarze przyzwyczajeni do najrozmaitszych dziwactw pacjentów, nie traktują mnie serio. Ani mnie, ani widocznie Marii, która prze-cież musiała im powiedzieć, że naprawdę jestem lekarzem. Albo jej nie uwierzyli, tak jak nie wierzą mnie, albo po prostu spoczęli na laurach. Myślą widocznie: co z tego, że jestem lekarzem. Choroba może przydarzyć się każdemu. Muszę skontaktować się z Walasem. Muszę...

Nagle przychodzi mi do głowy szalona myśl: jest noc, gabinety lekarskie są zamknięte, a pielęgniarki i dyżuranci pewnie śpią, bo noc jest spokojna. A nawet jeśli nie śpią, to pewnie siedzą, rozmawiają, piją herbatę i ani im w głowie snuć się po oddziale, toteż łatwo będzie dostać się do gabinetów, gdzie są telefony, i zadzwonić. Zamki są liche i pewnie da się je otworzyć choćby kawałkiem drutu. Kiedyś, gdy byłem mały, całkiem nieźle radziłem sobie z kłódkami i prostymi zamkami. Bardzo lubiłem takie zabawy. Może nawet byłbym teraz lepszym złodziejem niż lekarzem, ale jakoś nigdy nie miałem ochoty traktować tych zabaw poważnie. No cóż, po latach czas sobie przypomnieć, i tym razem na serio, by ratować własną skórę.

Wstaję z łóżka i wyglądam na korytarz. Jest pusty i mroczny. Palą się tylko małe lampki zamontowane w ścianach. Cisza.

Wyruszam w drogę do gabinetów na samym końcu korytarza. Przedtem tylko muszę postarać się o wytrych. Kawałek cienkiego, stalowego drutu. Na tablicy ogłoszeń, którą właśnie miałem minąć, dostrzegam przypięty do jakiegoś pisma duży spinacz biurowy. Zdejmuję go i rozprostowuję. Trzeba go tylko odpowiednio zagiąć i narzędzie gotowe. Teraz wszystko zależy od rodzaju zamków. Jeśli będą skomplikowane, pewnie cały plan spali na panewce.

Staję przed pierwszym z trzech gabinetów. Rozglądam się, ale korytarz jest pusty. Nikt mnie nie widział. Na razie wszystko idzie dobrze.

Zamek na szczęście jest prosty. Stary „Łucznik". Przypominam sobie: cztery zapadki. Spinacz jest w sam raz, zrobiony z grubego i sztywnego drutu. Może wytrzyma i nie będzie się za bardzo wyginał. Teraz tylko odnaleźć właściwe zapadki i modlić się, żeby drut wytrzymał obciążenie...

A jednak niewiele już pamiętam z chłopięcych zabaw w ślusarza-włamywacza. Pocę się nad tym przeklętym zamkiem, czas biegnie, a ja wciąż sterczę pod drzwiami i gmeram drutem w dziurce od klucza. Jeśli ktoś mnie zauważy, po pierwsze nigdzie nie zadzwonię, a po drugie będę w niezłych tarapatach. Wreszcie, sam nie wiem, jak to zrobiłem, słyszę, że zamek ustąpił. Uradowany chwytam za klamkę, naciskam i...

Drzwi otwierają się. Ostrożnie wchodzę do gabinetu, a będąc już w środku, wyglądam na korytarz. Nadal pusty. Cały oddział śpi, cisza i spokój, personel też gdzieś się pozaszywał, zupełnie jakby wszyscy zawarli układ, by pozwolić mi zadzwonić po pomoc. Zamykam drzwi, przekręcam na wszelki wypadek zasuwkę i dopiero wtedy, uspokojony i już bezpieczny, zapalam światło.

Dostrzegam stojący na biurku telefon. I nagle opanowują mnie czarne myśli. Poszło dość łatwo. Zbyt łatwo. Coś będzie nie tak. Telefon okaże się wyłączony, nie będzie wyjścia poza miasto albo się nie dodzwonię. Patrzę na zegarek: dochodzi pierwsza w nocy. Fatalna pora na telefonowanie, ale to jedyna szansa, ktoś przecież musi być na dyżurze. A jeśli wyłączyli centralę albo nie dobudzę portiera?...

Drżącą ręką sięgam po słuchawkę. Jest sygnał. Wykręcam numer kierunkowy. Cisza. Zablokowane wyjście?... Jest! Wykręcam numer. Seria przeciągłych sygnałów. Nikt nie odbiera. No odbierz, odbierz!... Odbierz, proszę, błagam!...

– Halo...

– Szpital?

– Szpital.

– Proszę sto pięćdziesiąt dwa.

Cisza, a po chwili seria długich, przeciągłych sygnałów. Śpią? Wyszli do izby przyjęć? A przecież tak dobrze szło...

– Halo... – słyszę rozespany głos. Znajomy głos. Co za ulga: Ewa ma dziś dyżur.

– Ewa? Tu Andrzej.

– Kto?!

– Andrzej. Andrzej Majer. Słuchaj, musisz mi pomóc...

– Aaaa... aha... – słyszę przeciągłe ziewnięcie. – Ty wiesz, która jest godzina?! Skąd dzwonisz o tej porze? I co się w ogóle z tobą dzieje?

– Słuchaj, to długa i zawiła historia. Weź jakąś kartkę i zapisz, co ci powiem.

– Co to za konspiracja? I o pierwszej w nocy? Nie mogłeś zadzwonić kiedy indziej?

– Gdybym mógł, to bym zadzwonił. Słuchaj, Ewa. Musisz mi pomóc. Masz czym pisać?

– Poczeee... eeeekaj – słyszę przeciągłe ziewnięcie – zaraz coś wezmę.

W słuchawce zalega cisza. Nastawiam uszu. Na korytarzu słychać zbliżające się kroki.

– No, już jestem.

– Zaczckaj chwilę...

Kroki oddalają się.

– Andrzej, co to za kawały?! – słyszę zniecierpliwiony, wciąż rozespany głos Ewy. Żeby tylko się nie rozłączyła!... Kroki na korytarzu już ledwie słychać. W porządku. Można mówić. Nikt nie usłyszy.

– Ewa, jesteś tam?

– Jestem. No słucham!

– Słuchaj uważnie i zapisz: jestem w szpitalu psychiatrycznym na oddziale Zimińskiego. Zapisałaś?

– Co to za wygłupy? Zwariowałeś?! Dzwonisz do mnie o pierwszej w nocy i... Jeśli ci odbiło, to...

– Błagam, pisz i o nic nie pytaj. Za moment wszystko ci wyjaśnię, a teraz pisz. Jestem w szpitalu psychiatrycznym. Zimiński umarł na zawał. Potrzebuję pomocy. Proszę o pomoc w wyjaśnieniu całej sprawy. Zapisałaś?

– ...pomoc... sprawy... Zapisałam, ale...

– I przekaż to jutro z samego rana Walasowi. On już będzie wszystko wiedział. Nie zapomnisz?

– Ale jak mogę mu przekazać, jak go teraz nie ma?

– Nie mówię, że teraz. Jutro rano. Jak przyjdzie.

– Nie wiem co z tobą – mówi – ale chyba coś naprawdę nie w porządku. Dzwonisz o pierwszej w nocy, opowiadasz jakieś brednie, każesz coś notować i przekazywać to Walasowi...

– Ewa, tylko o jedno cię proszę: o nic nie pytaj, tylko przekaż mu to z samego rana.

– Ale jak mam cokolwiek przekazać, skoro go nie ma! Wyjechał do Stanów!

Czuję, jak miękną mi nogi i zimny pot występuje na czoło.

– Jak to „wyjechał"? Kiedy?!

– W zeszłym tygodniu. Wraca za miesiąc.

Usiłuję zebrać myśli.

– Słuchaj, Ewa. Wtajemniczę cię we wszystko. Otóż jak wiesz, wziąłem urlop. Załatwiłem sobie z Walasem i Zimińskim trzymiesięczny pobyt w wariatkowie, rozumiesz?

– Ty chyba naprawdę zgłupiałeś!...

– Słuchaj i nie przerywaj. Chciałem obserwować chorych z pozycji pacjenta i prowadzić badania zachowań pacjentów. Zorganizowałem to tak, żeby traktowali mnie jak zwykłego pacjenta. Wiedzieli o tym tylko Walas i Zimiński, szef tego szpitala. Zimiński umarł na zawał, a Walas, jak się okazało, wyjechał. Udawałem pacjenta, trochę symulowałem, a teraz nie ma mnie kto stąd wyciągnąć. Skontaktujcie się jakoś z Walasem i niech mi ktoś pomoże...

– Andrzej, mówisz to wszystko poważnie? Bo już sama nie wiem, czy to jakiś żart, czy...

Na korytarzu słychać kroki.

– To nie żart. – ściszam głos. – Naprawdę potrzebuję pomocy. Muszę kończyć. I pamiętaj. Powiadom Walasa.

Odkładam słuchawkę. Kroki oddalają się. Usiłuję zebrać myśli. Stało się wszystko, co najgorsze. Przeklęty zbieg okoliczności. Muszę zrobić wszystko, by ich przekonać kim jestem i co tu robię naprawdę. Jeżeli Ewa nie zapomni przekazać wiadomości, może ktoś mnie stąd wyciągnie. A przynajmniej zaświadczą, że naprawdę jestem zdrowy. To by już wystarczyło.

Mam teraz sporo czasu, by wszystko przemyśleć, do dyspozycji gabinet, jest cisza, spokój, nikt nie przeszkadza... Ruch zacznie się dopiero koło szóstej, siódmej. Nie chce mi się spać, zresztą i tak nie mógłbym po tym wszystkim. Posiedzę tutaj, spokojnie wszystko przemyślę...

Ale na myślenie też nie mam ochoty. Zaczynam gonić w piętkę. Żadnych rozsądnych pomysłów. Wstaję i rozglądam się po gabinecie. Moją uwagę przykuwa duża, metalowa szafka z szufladami. Zaciekawiony podchodzę bliżej, wysuwam jedną z szuflad i widzę stertę papierowych teczek. Na tej na samym wierzchu dostrzegam napis: *Prace Psychoterapeutyczne, 1981. Schizophrenia paranoides.* Odchylam teczkę, a pod nią są następne opisane tak samo, tylko z innymi datami. W następnej szufladzie też są prace psychoterapeutyczne, ale dopisek: *Schizophrenia simplex. I rok.* W następnych szufladach podobne teczki i tylko inne nazwy chorób i inne daty widnieją na okładkach.

Sięgam do pierwszej z szuflad i wyjmuję teczkę z pracami schizofreników paranoidalnych. W teczce znajduję kilka plików kartek w kratkę. Na każdym z plików, a jest ich, liczę, osiem, widnieje inne nazwisko i każdy zapisany jest innym charakterem pisma. Domyślam się, że chorzy musieli napisać to sami. Wybieram pracę pisaną najwyraźniej i zabieram się do czytania.

...jak byłem poprzednim razem w szpitalu, to było tak, że widziałem Boga. Zaraz jak mnie wzięli i przywieźli, to Bóg od razu objawił mi się na korytarzu. Był w asyście aniołów. Grali na skrzypcach. Powiedziałem, żeby przestali, bo jest noc i cisza nocna, i że może przyjść ten lekarz z brodą, a ten lekarz to diabeł. Wiedziałem o tym dobrze. Wtedy Bóg powiedział, że diabeł to zbuntowany anioł, a on, znaczy Bóg, ma kontrolę nad całym światem, więc nad diabłem też. Jak mi to powiedział, to się uspokoiłem i zacząłem tańczyć, tak jak zagrali aniołowie. A grali pięknie, więc tańczyłem pięknie. Taką średniowieczną muzykę. Ale nagle muzyka się skończyła, aniołowie zniknęli i Bóg też. Zrozumiałem, że Bóg mnie opuścił i że spotka mnie teraz kara za wszystkie grzechy. Bóg zniknął i nad światem zapanował szatan. I wtedy przyszedł diabeł jako lekarz z brodą, żeby mnie zabić. Stał, założywszy ręce na piersiach, a za nim dwa szataniątka. Bardzo ich się bałem. Byłem sam jeden przeciwko wszystkim mocom piekielnym. Wszyscy troje mieli dziwne twarze, duże i drapieżne. Obnażali kły ociekające śliną. Patrzyli na mnie tymi swoimi żółtymi oczami. Szatan przybrał swoją prawdziwą, ohydną postać. Lepił się od śluzu i grzechu. Poznałem go w nowej postaci tylko dlatego, że miał brodę. Czułem na nogach smagania jego włochatego ogona, którym wachlował się nieustannie. A potem stuknął kopytem o podłogę, aż sypnęły się iskry i jedna oparzyła mnie w łydkę. Zrozumiałem, że oni będą mnie teraz przypiekać kopytami. Ale oni mieli inną taktykę. Podeszli bliżej i już nie krzesali kopytami iskier, tylko ręce im rosły i rosły, aż zamieniły się w wielkie łapy z pazurami. To były takie żółte szpony jak u ptaków, trzy pazury z przodu, jeden z tyłu. I oblizując się, a języki mieli długie jak żmije, zaczęli tarmosić moją koszulę od piżamy. Czułem ich ostre szpony, które ślizgały mi się po skó-

140

rze. Strach było umierać. Bóg powinien coś zrobić, bo tylko on mi pozostał. Ale nie mogłem widzieć, kiedy przyjdzie mnie uratować, bo okno miałem za sobą, i nie wiedziałem, czy w ogóle przyjdzie, bo Bóg, jak się leży tyłem do okna, też nie widzi, kto leży na łóżku i nie może pomóc, bo nie wie, czy ten, kto leży tyłem do okna, to jest właśnie ten, kto potrzebuje pomocy. Więc nie mogłem nic zrobić i na pomoc Boga też liczyć nie mogłem, choć bardzo tej pomocy potrzebowałem. A oni powoli zaczęli rozpinać mi koszulę. Wolno i z namaszczeniem, żebym miał czas poczuć ich diabelską moc i poznać smak własnego strachu. A ja się nim aż dławiłem. Każdy nerw był napięty aż do granic wytrzymałości, jak struna, która zaraz pęknie. W końcu rozpięli mi koszulę. Przyglądali mi się uważnie, jakby wzrokiem chcieli wyrwać mi wzrok. Ich białe kły ociekały śliną i krwią poprzednich ofiar. Nerwowo przestępowali z kopyta na kopyto. Znów zaczęli krzesać iskry. Nagle diabeł z brodą, władca piekieł, jednym ruchem rozszarpał mi pierś i zagłębił w niej pazury. Poczułem szarpnięcie i nagle wszystko we mnie zamarło. Z brodą wyrwał mi serce i trzymał je w dłoniach, świeży, ciepły, bijący kawał mięsa. Podsunął mi je przed oczy, żebym je widział. Umarłeś, mówi i zanosi się szatańskim, wibrującym śmiechem, aż dzwonią szyby w oknie. Umarłeś, mówi, bo nie masz serca. Jesteś nieżywy i nie możesz się ruszać. I myśleć też nie możesz. Jesteś człowiekiem bez serca. A ja czułem, jak oblewam się zimnym potem. Z brodą i diablątka rozpoczęli szatański, tryumfalny taniec. Spod ich kopyt wybuchały snopy iskier. Machali ogonami w takt melodii, na którą składały się jęki i wycia potępionych, i rzucali sobie moje serce niczym piłkę, jeden do drugiego, drugi do trzeciego, trzeci do pierwszego, i znów, i tak bez końca, aż do zatracenia. Consummatum est, rzekł nagle władca piekieł, ten z brodą, przegryzł moje serce na trzy równe części i dał diablątkom po kawałku. I podzielili je między siebie, i spożyli śniadanie. I naonczas

Bóg przez okno weźrzał i szatańskie widząc praktyki, zesrożył się okrutnie. Przez okno zstąpił z niebiesiech i cisnął w złych błyskawicę, eże ziemia rozstąpiła się była i pochłonęła psubratów na wieki wieków, amen. Tedy Bóg do mnie przystąpił i naonczas, uźrzawszy w piersi mej dziurę przeogromną, boskim swym głosem zapytał: a co to? Ach, panie mój, mówię, zabrali mi serce me, umarłem i nie żyję, zaprawdę powiadam, krzywda moja wielką jest. A kto ci serce zabrał?, mówi Bóg. Szatan, mówię, książę pie-kieł, który nawiedził mnie, Panie, pod niebytność twoją, brodę miał i rogi, i ogon wielgachny, i iskry kopytami krzesił. Zafrasował się Pan tedy wielce, brodę przygładził i rzecze: idę do piekieł poszu-kać psubratów: co wzięli – oddać muszą, a że trzech ich było i serce twe między się podzielili byli, przeto trzy serca dostaniesz, zaprawdę powiadam ci, ty zaś naonczas chór anielski dostaniesz za kompaniją, co by ci do czasu powrotu mego z piekieł czeluści na niczym nie zbywało. I słowo ciałem się stało. Zstąpił Bóg do piekieł, serca mego szukając u biesiech, a mnie, jako rzekł Pan, chór anielski obstąpił i śpiewać poczęli anieli, naśladując karetki pogotowia. I chwil minęło mało-wiele, a Pan w glorii i chwale wiekuistej, z piekieł, poprzez w podłodze rozpadlinę, na ziemię wstąpił, i serca me trzy w dłoniach ostrożnie dzierżąc, jakoby skarby to jakie były przeogromne, szedł ku mnie powoli. I kładąc je na-reszcie w pierś moją, dziurą wielką ziejącą, rzecze Pan: oddaję ci serca trzy, po trzykroć niech biją na chwałę moją, jeno bacz, by znowu ci ich nie wydarli, przeto że nie żyjesz i serc nie masz – udawaj człecze zapamiętale; a żebyś nie ważył się wstać z mar-twych zbyt rychło nim czas się twój dopełni do cna, przeto dziurę w czasie ci uczynię twoim. I stało się, jako rzekł Pan. A gdy nastał czas mojego zmartwychwstania, ocknąłem się na wózku. Wieźli mnie korytarzem na zabieg. Po zmartwychwstaniu wolno mi się myślało, bo głowa dopiero musiała sobie przypomnieć, jak się

myśli, ale zanim zorientowałem się, co się dzieje, usłyszałem: już!
– a to, jak się okazało, był elektrowstrząs, i ja potem długo, bardzo
długo, nie mogłem sobie przypomnieć ani kim jestem, ani co ja tu
robię, nic, zupełnie nic...

Sięgam po następną pracę. Czytam na chybił-trafił:

...przywiązali mnie do łóżka za ręce i nogi. Do prawej ręki
wbili igłę. Do igły podłączyli rurkę. Rurka biegła do butelki pod-
wieszonej na stojaku. W tej butelce był nadajnik rtęciowy. Nadaj-
nik pływał po wierzchu. Płynu było coraz mniej i mniej. W końcu
płyn wpłynął do mojej ręki razem z nadajnikiem. A jak wpłynął
nadajnik, to od razu to poczułem. Bo takie prądy mi zaczęły iść od
ręki, że aż strach. I usłyszałem, jak nie myślę. Bo myśleć przecież
dalej nie mogłem. Bo myśli w głowie nie miałem wcale, bo mi je
tamci z szóstki wszystkie odciągnęli. Więc usłyszałem to swoje nie-
myślenie jako taki przeciągły sygnał: piii! A to ten nadajnik rtę-
ciowy, co go miałem we krwi, nadawał im to, co myślałem, a że nie
myślałem, no to on nadawał: piiiii! Bałem się, ale nie myślałem,
że się bałem, bo przecież myśleć nie mogłem – bo nadajnik wciąż
przekazywał im: piii! – ale czułem, i tego nadajnik przekazać im
nie mógł, bo był to nadajnik myślenia, a nie tego, co się czuje, że
zaraz wyjaśni się wszystko i że nareszcie będę wszystko rozumiał
i zacznę myśleć...

Przerzucam kartki następnych prac psychoterapeutycznych.
Domyśliłem się, jaki był ich cel: chorzy mieli pisać o swych doznaniach, by rozbudziło się w nich poczucie dystansu do własnej
choroby. Może nie od razu, może po kilku miesiącach, po roku...
Ale to właśnie jest to, o co mi chodziło. Poznać świat doznań
chorych. Autentyczny. Prawdziwy. Dopiero teraz uświadamiam

sobie, że zamiast tracić czas udając chorego, wystarczyło przeczytać kilka takich prac. Jak na ironię właśnie teraz, uziemiony w szpitalu, włamując się do gabinetu, by dzwonić po ratunek, odkrywam prawdę o schizofrenii w postaci zapisków chorych dotyczących ich przeżyć, przeżyć dokładnie skrywanych przed współpacjentami, do których jakże łatwo dobrali się lekarze zlecając chorym opisanie swoich wizji.

Czytam pozostałe prace. Później sięgam po następną teczkę z pracami o rok wcześniejszymi, i następną, i znów następną...

W końcu czuję, że oczy mi się kleją. Patrzę na zegarek: dochodzi druga. Jestem zmęczony, ale odczuwam satysfakcję: przez tych kilka kwadransów dowiedziałem się o doznaniach chorych więcej niż przez dwa lata pracy na oddziale i prawie dwa miesiące pobytu tutaj.

Przeglądam zawartość pozostałych teczek z pracami schizofreników, hebefreników, paranoików, parafreników i w miarę czytania uświadamiam sobie, że właśnie tutaj, w tym pokoju i w tych szufladach, znajduje się cała wiedza o doznaniach chorych, wszystko, co chciałem o nich wiedzieć. Postanawiam zabrać stąd kilka najciekawszych prac. Bardzo się przydadzą. Warto wprowadzić taką nowość na naszym oddziale. Niech chorzy opisują swoje wizje. Walas też będzie zadowolony. Przyda mu się to do weryfikacji badań nad omamami wzrokowymi, badań które, jeśli wierzyć Markowi, prowadzi na naszym oddziale.

Czytam z ciekawości prace pozostałych chorych, nawet te niezbyt czytelne, które na początku pominąłem, i nagle uświadamiam sobie potrzebę przekonania się, co w rzeczywistości czują chorzy, doświadczając swych nieraz przerażających, a nieraz całkiem zabawnych wizji. Jak to jest? Jak się do tego odnosić? Jak z tym żyć? Myślę o tym dlatego, że mogę, tu i teraz, sprawdzić to wszystko na własnej skórze. Mam przecież przy sobie LSD, magiczny wyciąg z poczciwego sporyszu, kupiony na tę okazję od Marka, który prawdopodobnie załatwił działkę od jakiegoś narkomana. Jedna działka. Przepustka do kontrolowanej, krótkiej schizofrenii. Zażyć, przeżyć, zrozumieć i – w przeciwieństwie do chorych – wrócić do normalnego świata normalnych ludzi. Tak jak wielki Kępiński. Tak jak Walas. Tak jak inni psychiatrzy-eksperymentatorzy. Właśnie teraz gdy na podstawie przeczytanych prac mam jakieś wyobrażenie, czego można się spodziewać.

Schylam się i obmacuję nogawkę spodni od piżamy, w której zaszyłem foliową torebeczkę z działką LSD. Jest na swoim miejscu. W oszklonej gablotce z lekami dostrzegam strzykawki jednorazowe i igły. Decyzja należy do mnie.

Waham się przez moment, rozważając „za" i „przeciw", ale przeważają argumenty za. Nie wiem tylko, jak długo może trwać reakcja organizmu na LSD. Godzinę? Dwie? Trzy? Na pewno nic więcej. Trzeba było spytać Marka. Jako psychiatra, który w dodatku zażywał już LSD, powinien mieć w tym rozeznanie. Ale Marka teraz nie zapytam. Jestem zdany tylko na siebie. Jak długo może działać taki narkotyk? Z pewnością nie tak długo, godzinę, najwyżej dwie. Jeśli jest teraz druga, pewnie zdążyłbym dojść do siebie jeszcze przed poranną krzątaniną personelu i wyjść stąd, nie zauważony przez nikogo. Tym bardziej, że noc jest dziś spokojna. Więc chyba, myślę i rozpruwam zaszewkę na nogawce, można zaryzykować. Wyjść stąd przecież zdążę zawsze, obojętnie w jakim stanie, choć reakcja na narkotyk nie powinna trwać długo. Zresztą całej działki nie wezmę, trochę odsypię, taka ilość pewnie dobra jest dla zaprawionego narkomana, a ryzykować nie ma sensu. Gdyby nawet objawy transu trochę się przedłużały, nie będzie to dla nikogo zaskoczeniem, ostatecznie mam etykietkę schizofrenika paranoidalnego i mam prawo trochę odlecieć. Zresztą to tylko jedna działka, z której wezmę i tak połowę, a znając handlarzy tym towarem, pewnie jest niedoważona, toteż na pewno wszystkie objawy transu ustąpią w ciągu krótkiego czasu.

Rozrywam papierowe opakowanie. Wewnątrz znajduje się foliowa torebka, a w niej kilka małych, przeźroczystych kryształków przypominających cukier, tyle że odrobinę większych. Przepustka do świata schizofrenii. I nagle uświadamiam sobie, że nie bardzo wiem, co mam z nimi zrobić. Tak, trzeba było zapytać Marka. No, ale teraz nie ma jak. Pewnie to się wstrzykuje. Jak większość narkotyków. Tylko trzeba to rozpuścić w czymś obojętnym...

Sięgam po strzykawkę. Znajduję też ampułki kokarboksylazy. Będzie w sam raz. Pilniczkiem otwieram ampułkę i wrzucam do niej jeden kryształek. Jeden. Tylko jeden. Nie przesadzić. Ostrożność przede wszystkim. Niepotrzebnie Marek dał mi aż pięć kryształków. Nabieram roztworu do strzykawki i z bijącym sercem wkłuwam się w żyłę. Powoli, bardzo powoli wstrzykuję sobie jednorazową dawkę schizofrenii.

Podchodzę do kozetki i układam się wygodnie. Zamykam oczy, ale natychmiast otwieram je na powrót, bo przez moment doznałem nieprzyjemnego uczucia zapadania się, zupełnie jak po dużej dawce alkoholu. Ale tym razem to uczucie nie przechodzi, a wręcz przeciwnie, pogłębia się. Zmiany pozycji nie pomagają. Coś zaczyna dziać się z moim ciałem. Traci na ciężarze. Członki stają się obce. Kontury otaczających przedmiotów stają się nieostre. Kolory mieszają się, jak na obrazach impresjonistów. Staram się odnotowywać wszystkie te wrażenia w pamięci, ale... a teraz... wszystko wokół mnie faluje...

...okręt na wzburzonym morzu... ostre dźwięki, nawoływania... sztorm... dużo wody... liny bezpieczeństwa... trzeba się trzymać...

wygodna koja... kapitan... sternik... myśli są ciężkie... morze się uspokaja...

...leżę w kajucie... pytają, co podać... niech podadzą ręce... żeby mnie trzymać, wspierać... potrzeba dużo, dużo rąk...

...zbliżają się do mnie... widzę je dokoła, na ścianach, na podłodze, na suficie... tyle ich jest, że aż strach, strach przeogromny... ręce... kłęby rąk... same dłonie... wyciągają się do mnie... mnożą błyskawicznie, oblepiają ściany, sufit... Nie!... nie chcę!... ręce zbliżają się, setki dłoni bez ludzi, tylko ręce, same dłonie... bardzo mi miło... dzień dobry, dzień dobry, dzień... odejdźcie!... ręce wirujące nad moją głową, posczepiane, wykrzywione z bólu... duże i małe, ręce starców i dzieci... głaszczą mnie po głowie, biorą pod brodę i wreszcie porywają ze sobą... unoszę się wraz z nimi w powietrzu, w dzikim, obłędnym tańcu... zanoszą mnie na łóżko, układają ostrożnie na pościeli... składają się do modlitwy i wyciągają do mnie błagalnie... wiem!... to ich ręce, oczywiście że ich... to oni nasłali te dłonie, odcięli sobie, żebym ich zrozumiał, żebym ich wyleczył...

...słychać miękkie plaśnięcie... dobrze, mówię, ale jak to zrobić, jak zrozumieć, jak zrozumieć nie można?...

...jedno plaśnięcie, drugie, trzecie, dziesiąte... to one... żadnej nadziei... przyklejają się bezsilnie do ścian, klaszcząc cicho... pełzają po tynku... tworzą przedziwne kombinacje symbolizujące rozpacz, żal, śmierć, splatają się ze sobą, rozplatają, przenikają... nagle te duże chwytają małe i ściskają, ściskają coraz mocniej i mocniej... chrupią łamane palce...

...kroki na korytarzu...

...gniotą je... z zaciśniętych, wielkich pięści spływają strumienie krwi... chrobot i trzask łamanych kości przemienia się w słowa: „proszę się uspokoić!..." Biały kitel... panie doktorze, te ręce, proszę coś zrobić!... Oni nie mogą w ten sposób... pan nie ma prawa im pozwolić... niech pan coś zrobi... ja muszę do nich... oni chcą, żebym ich wyleczył... ja ich rozumiem...

...do mojej twarzy zbliża się para wielkich, czerwonych dłoni. Palce, na których widnieją niezakrzepłe jeszcze krople krwi, przybliżają się do powiek... więc chcą wydrapać mi oczy?! Nie!... Zostawcie moje oczy!...

...drżące z pożądania palce odchylają mi powieki... nie mogę się bronić, nie mam przecież rąk, moje dłonie są teraz razem z innymi, na ścianie...

...z oddali dobiegają słowa: „Panie Marku, strzykawka", lekkie ukłucie w ramię... dłonie na ścianach wirują, a może to ściany się zapadają... zamykam oczy... chce mi się wymiotować, bo spadam w przepaść... zawsze miałem lęk przestrzeni... i lecę... nie czuję już ciała, jestem lekki, tylko ten pęd powietrza, świst wiatru... wiatr...

Budzę się. Głowa boli, ręce ciężkie i się trzęsą. Wszystko wydaje się być wyostrzone, krzyczące kolory, nabrzmiałe kontury, przenikliwe dźwięki...

Czasem zakręci się w głowie. Dziwnie mi jakoś. Nie wiem, gdzie jestem i co się wokół mnie dzieje. Atmosfera jest tajemnicza. Narasta niepokój. To dlatego, że wiatr... Nie lubię wiatru, nigdy nie lubiłem, szczególnie w lesie...

Czuję, jak z nosa skapuje mi jakaś kropelka. Taka sama jak kropla deszczu, ale gdy biorę ją na język, jest słona jak morska woda, woda z morza o zachodzie słońca, czerwona poświata odbija się w wodzie, drga, pląsa, szum fal, przybój...

Wiatr szumiący na opustoszałej plaży rozwiewa moje długie, jasne włosy, chłodzi rozpaloną twarz zalaną czerwienią zachodu. Jest cudownie, tylko trochę mi chłodno. Zapnę skafander. Chrzęst zaciąganego zamka błyskawicznego. Na mokrym piasku odciski dłoni. Dlaczego dłoni, a nie stóp? Czyżby ktoś chodził po plaży na rękach? Rozglądam się, ale plaża jest pusta. Przeraźliwie pusta. Cudownie pusta. Wciągam w płuca chłodny powiew wiatru i robi mi się słono w ustach. Lubię smak soli.

Połóż się, słyszę.

Kładę się na wilgotnym piasku i wtedy zrozumiałem, że to nie jest zwykła sól. To sól ziemi. Czuję to, czuję moc przyciągania i przenikania. Sól napływa niewidzialnymi strumieniami i wypełnia całe moje ciało swą istotą. Jestem teraz ziemią, a ziemia jest mną. Jestem wybrany, myślę, ale jeszcze nie wiem do końca, niech mi to ktoś powie.

Nasłuchuję, ale wciąż tylko słychać szum fal i chrzęst niewidocznych strumyczków soli wnikających do mojego wnętrza.

Niebo staje się coraz bardziej czerwone, chmury gęstnieją, napływają ze wszystkich kierunków i układają się na kształt wielkiej, rozświetlonej czerwienią postaci. Czarne chmury, które napłynęły właśnie ze wschodu, zaczęły mieszać się z czerwonymi, tworzyć odcienie i rysować twarz okoloną czarną brodą, z orlim nosem, przenikliwymi oczami i czymś w rodzaju korony, ale nie złotej, tylko czarnej. To był On. Zrozumiałem wszystko. Nie musiał nic mówić. Powiedziała mi już ziemia. Ale on powiedział, żebym wiedział na pewno, tak jak chciałem:

Ziemia dała ci moc, a ja tę moc błogosławię i zatwierdzam, albowiem zostałeś wybrany!

Wiedziałem, że muszę teraz wstać i wszystkich wyleczyć. Muszę oddać energię boską i ziemską, żeby już na świecie nie było chorób i żeby wszyscy byli normalni. Żeby zapanował pokój, zrozumienie i miłość. Żeby brat kochał brata, siostra siostrę, a siostra Basia tego swojego narzeczonego, co przychodził na oddział i przynosił jej kwiaty, a ona go nie chciała.

I wówczas Bóg mówi:

Idź na oddział i wylecz wszystkich!

Więc wstaję, otrzepuję się z piasku i chcę otworzyć drzwi, ale są zamknięte.

Otworzyć!, mówię, otworzyć! – i walę w drzwi pięściami.

Na korytarzu słychać kroki. Nasłuchuję. Idzie dwóch albo trzech. Stają pod drzwiami, manipulują przy zamku i wchodzą. To siostra.

Jak się pan czuje?, mówi.

Bardzo dobrze, mówię, już wszystko wiem.

To pójdziemy teraz do gabinetu, mówi.

Dobrze, mówię, to nawet lepiej, że w gabinecie.

Widocznie oni też zrozumieli, że muszę wreszcie zacząć leczyć. Na szczęście gabinet jest naprzeciwko. To dobrze, bo nie trzeba daleko iść. Nogi mam trochę sztywne od soli. I chrzęszczą. Musi być bardzo słychać, bo siostra też patrzy na moje nogi.

Idziemy powoli po plaży. Piasek jest miękki i sypki, nogi trochę się zapadają.

Nogi się trochę zapadają, mówię, a siostra kiwa głową.

Wchodzimy do gabinetu. Chcę usiąść za biurkiem, na swoim miejscu, ale ktoś tam już siedzi. Jest w okularach. Nie chce mi ustąpić.

Tam proszę, mówi w okularach i pokazuje mi krzesło po drugiej stronie biurka.

Ja wszystko wiem, mówię i siadam na wskazanym krześle, i siostra wie, a pan nie wie?

Co, mówi w okularach, mam wiedzieć?

Że jestem lekarzem, mówię, i że ja teraz muszę leczyć.

Pan jest teraz trochę chory, mówi w okularach, pan o tym wie?

Ja jestem zupełnie zdrowy, mówię, ja muszę leczyć.

No dobrze, mówi w okularach i przekłada jakieś papiery, chciałbym teraz trochę z panem porozmawiać...

Budzę się. Jest dziwnie. Czuję, jakby gdzieś poza świadomością uciekł mi dzień, dwa dni albo nawet trzy. Może nawet więcej. Luka w czasie. Nieciągłość między przebudzeniem, a tym, co działo się poprzednio. Nie mogę nawet przypomnieć sobie, kiedy zasnąłem i w jakich okolicznościach, a przecież zasnąć musiałem. skoro teraz się budzę.

Usiłuję myśleć o tym wszystkim, ale nawet myślenie jest trudne. Myśli są ciężkie, powolne, ospałe. Czuję pustkę w głowie. Nie rozumiem dlaczego. Wszystko wydaje się odległe, dalekie, przygłuszone...

I nagle dzieje się coś dziwnego. Widzę własną głowę od środka: czarne wnętrze ogromnej kuli, w której tu i ówdzie gnieżdżą się maleńkie, świecące punkciki myśli. Co jakiś czas jeden z tych punkcików, gdy coś pomyślę, startuje ze swego miejsca, rozpędza się, przebija głowę i ucieka na zewnątrz.

Myślę o tym, że tak trudno myśleć, że nie wiem, kiedy zasnąłem i w jakich okolicznościach, co przydarzyło się przedtem – może coś ważnego, o czym trzeba było pamiętać? – i jednocześnie czuję, jak z wnętrza głowy uciekają świetliste punkciki, coraz ich mniej i mniej. A ja wciąż zastanawiam się, co się stało i co dzieje się ze mną teraz, co z tymi myślami, że takie powolne, ospałe... To wszystko jest dziwne, bardzo dziwne...

Chcę myśleć, ale myśli w głowie już nie ma. Wymyśliły się do cna.

Zauważam w głowie ostatnią myśl, ale boję się ją pomyśleć, bo ta myśl jest ostatnia. Wiem, że jak ją pomyślę, nie zostanie nic i mózg umrze, a oni utną mi głowę jako niepotrzebną.

„Z powrotem", „z powrotem" – mówi myśl ostatnia. LECZ CÓŻ ONA ZNACZY? – myślę i w tym samym momencie czuję, jak pomyślana Ostatnia Myśl przebija czaszkę i ————

———— Ostatnia Myśl właśnie wróciła i dała się pomyśleć, ale ostrożnie. Obija się teraz po czaszce jako cieplutki, świecący punkcik. Ach, cóż za radość, myślę, więc znów jestem, i nie jestem sam. Ostatnia Myśl mości się wygodnie. Napełnia mózg świecącym szczęściem.

Nagle zjawia się ten, który ma mnie uratować. Podstępnie przybiera dobrze mi znaną postać. Jest to Jarosław Wiśniewski, zastępca ordynatora Walasa.

Ostatnia Myśl kołacze się jak szalona. Trzymam ją na uwięzi, żeby mi się nie wymyśliła, bo bardzo chcę teraz zachować zachować zdolność myślenia.

– Ach, panie Andrzeju – mówi od progu. – Co pan tu robi?! Podchodzi bliżej.

– No i co z panem?

Już chcę odpowiedzieć, a wtedy Ostatnia Myśl ucieka, przebija czaszkę ————

———— moja dobra, Ostatnia Myśl! Przyprowadziła trzy inne! Tak mi ich teraz dużo! W głowie wielki natłok. Ostatnia Myśl świeci tryumfalnie i mości się wygodnie na honorowym miejscu, a wokół niej fruwają tamte. Och, jakże jasno teraz w głowie, jakże pełno!

Zrozumiałem, że Ostatnia Myśl odciągnęła tamte trzy myśli Wiśniewskiemu, żeby ratować mój umierający mózg. Teraz mam już dużo myśli, i to bardzo dobrych i mądrych, więc wysłałem już bez obaw Ostatnią Myśl po następne.

Wiśniewski zawsze zadziwiał mnie swoim myśleniem. Myślał szybko i dużo. Pewnie odciągał innym. Teraz ja mu trochę podbiorę. I faktycznie, Ostatnia Myśl znów przyprowadza dwie następne. Mam ich już trochę, więc tym razem wysyłam ich trzy naraz, każda odciągnie po dwie, a potem znowu, i znowu, och, jak dobrze że przyszedł...

– A co pan tak tu leży? Taki zaniedbany, ubrudzony, zarośnięty? To może ja poproszę salową, żeby zrobiła tu porządek? No co, nic pan nie powie?

Pracowicie odciągam myśli Wiśniewskiego. Bardzo się spieszę. Muszę zgromadzić ich jak najwięcej. Wszystkie, które przychodzą, wysyłam po następne. Odciąganie rośnie w postępie geometrycznym.

Wiśniewski rozgląda się po sali. Myśli do odciągnięcia ma jeszcze bardzo dużo i na razie nie orientuje się, że je traci. No, jeszcze trochę... jeszcze trochę...

Głowa powoli się wypełnia. Zostaje rozwiązana istota rzeczy. Trwa walka o prymat pomniejszych myśli. Górują te o potędze rozumu i szybkim odpowiadaniu na mądre pytania. Pojawia się wątpliwość co do rzeczy samej w sobie. I odpowiedź na miarę wszechczasów: prędkość światła jest nieprzekraczalna.

Wciąż odciągany z myśli Wiśniewski siada na łóżku i nachyla się nade mną.

– Panie Andrzeju! Pan mnie słyszy?

Głowę mam pełną aż po brzegi. Odciągnąłem już tyle, że trochę można poświęcić na mówienie. Zresztą i tak przez cały czas odciągam następne.

– Dobrze, że pan przyszedł, szefie – mówię.

Wiśniewski zaniemówił. Przestraszyłem się, że odciągnąłem mu za dużo myśli, szczególnie tych o mówieniu. Zaniepokojony powstrzymuję ssanie.

– No wreszcie się pan odezwał – mówi. – A już myślałem... że niby faktycznie pan nikogo nie poznaje... Bo oni mówili, że... Wypowiadał się dziwnie. Jakby brakowało mu słów albo myśli. Widać odciągnąłem za dużo. Przecież nie chciałem ograbić go ze wszystkiego... Zawsze był dla mnie życzliwy. Nawet bardzo. Więc oddałem mu trochę myśli. Całą ostatnio odciągniętą partię. Wessał ją łapczywie, pomyślał, zrozumiał, i rzekł:

– No proszę!... A mówili, że z panem jest bardzo źle. Tymczasem ja tu widzę coś innego. Nieźle ich pan nabrał. Ze mną może pan być szczery. Nikt nas tu nie podsłuchuje. Jak pana tu traktują?

– Tak sobie – mówię. – Jak w szpitalu.

– Boże, obrośnięty, brudny, pokrwawiony... To jakiś koszmar! Zagląda lekarz w okularach.

– Panie kolego – mówi Wiśniewski – proszę tu na chwilę! W okularach podchodzi.

– Pan jest lekarzem prowadzącym?

– Tak jakby...

– Co to znaczy „tak jakby"?! Proszę wyrażać się precyzyjnie!

– Bo... bo jest tak... – mówi w okularach przestępując z nogi na nogę – pana Andrzeja prowadził osobiście ordynator Zimiński... ordynator Zimiński dostał zawału... doktor Kowalczyk na jego miejsce... ja tylko zastępuję...

– Dobrze, z kim można porozmawiać o pacjencie?

– Najlepiej z doktorem Kowalczykiem.

– Dobrze, więc wyjaśnię wszystko z doktorem Kowalczykiem!

Widzę, że Wiśniewski mówi już całkiem do rzeczy, więc chytrze podbieram mu jeszcze jedną małą porcję myśli.

W okularach znika pospiesznie.

– No i jak się pan czuje, panie Andrzeju? – mówi Wiśniewski.

– Dobrze – mówię.

– Niewiarygodne... A oni... – zaczyna i przerywa wpół słowa. Patrzy na mnie podejrzliwie. Zorientował się, że ma mało myśli i że to ja musiałem mu podebrać. Skuliłem się w sobie. W gąszczu myśli, których odciągnąłem zbyt wiele, trwała walka o pierwszeństwo. W końcu na czoło wysunęła się ta najważniejsza: prędkość światła jest nieprzekraczalna.

– Myślę, że powinien pan jak najszybciej opuścić to miejsce – mówi.

Problemy zaczęły się rozwiązywać. Przestrzeń porządkowała się zgodnie z zasadami fizyki. W ten sposób rozstrzygnęły się zagadki egzystencji i ciągłości czasu. Światło wyznaczało drogę ludzkości. Byłem w posiadaniu wielkiej tajemnicy, którą wszyscy będą chcieli mi wydrzeć. Zrozumiałem, że muszę bać się wszelkich pytań o cokolwiek, bo i tak wszystko o co będą chcieli zapytać to prędkość światła. Trzeba bać się prześwietleń mózgu, które mają ujawnić ukrytą w gąszczu myśli teorię oraz zastrzyków z LSD, po których będę musiał opowiadać o istocie rzeczy: o tym, że prędkość światła wyznacza drogę ludzkości. A najważniejsze, że potem na sam koniec przyjdą i zrobią mi zastrzyk z fenolu. W samo serce. Albo zastrzyk w żyłę. Z powietrza. Żebym nareszcie umarł. Bo nie ma już dla mnie życia na tej ziemi. Bo ja już wiem, jak to jest, a inni jeszcze nie wiedzą. Ja sam przeciw wszechświatowej korporacji fizyków zazdrośnie strzegących swoich praw. Nie mam żadnych szans...

– No dobrze, panie Andrzeju – mówi Wiśniewski nie rozumiejąc o co tak naprawdę toczy się gra i nic dziwnego: ma przecież poodciągane myśli – proszę się nic nie martwić, zaraz pana stąd wyciągniemy.

Kiwam głową na znak, że dobrze.

Wiśniewski poklepuje mnie po ramieniu i wychodzi mrucząc coś pod nosem.

Tymczasem świeżo zdobyte myśli porządkują się. Te zapasowe, które nie pomieściły się w głowie, rozpierzchły się po pokoju, by wracać ze świeżymi informacjami. Przestrzeń została opanowana. Narastała niepewność, czy dobrze interpretuję. Myśli o ruszaniu podniosły mnie z łóżka. Z ciekawością obejrzałem ściany w poszukiwaniu ukrytych nadajników. Powietrze zgęstniało. Wystarczyła jedna iskra, by wywołać wybuch. Trzeba było odszukać nadajniki, szczególnie te iskrowe, grożące wysadzeniem wszystkiego w powietrze.

Od myślenia rozbolała mnie głowa i uderzyły zimne poty. Ściany, wykazując złą interpretację względnej stałości, zaczęły falować. Nie mogąc utrzymać równowagi, upadłem na łóżko.

Rozum piął się na wyżyny. Przeskoczyła iskra. Sytuacja stała się jasna.

Nastąpił wielki wybuch. Wraz z łóżkiem poszybowałem w przestrzeń bezkresną. Z rosnącą prędkością dążącą do prędkości światła odbywał się lot mający potwierdzić istotę rzeczy. I w rzeczy samej, z rakiety lecącej za mną również z prędkością światła, kosmonauta zapalił latarkę i nadał mi wiadomość, że trzeba umierać. Odtąd stało się jasne, że prędkość światła jest przekraczalna. Wobec nieruchomej przestrzeni światło latarki wysłane z rakiety pędziło dwa razy szybciej. Odczułem strach przed wszystkim, co graniczne. Albowiem żadnych granic nie było. Upadła wszelka fizyka i pociągnęło to za sobą upadek psychiki. Mózg nie nadążał z właściwą diagnozą. Odczułem, że rozum gdzieś się zagubił. Czarne dziury czyhały po drodze i wsysały myśli w zagiętą czasoprzestrzeń. Nieuchronnie zbliżałem się do raju, który znajdował się za ostatnim punktem prostej. Mijane gwiazdy powiedziały, że czekać tam miał Bóg. Trąbki i flety odgrywały znaną melodię sygnału pogotowia.

Nie mogłem otworzyć oczu, ponieważ miałem być obserwowany przez wszystkie gwiazdy wszechświata. Gdybym spojrzał w te gwiazdy, miały mnie spalić na popiół. Gdy ich światło zgasło pod zamkniętymi powiekami, wolno już było otworzyć oczy, co też uczyniłem.

Ujrzałem w otwartych drzwiach wiele postaci ciężko chorych psychicznie. Patrzyły groźnie i dawały do zrozumienia, że ma dojść do walki na śmierć i życie. Poczułem się osaczony. Były tam postacie Indian, którzy zbliżali się z długimi nożami, żeby zdobywać skalp.

Przebiegło stado bizonów, wzniecając chmurę kurzu. Gdy kurz opadł, okazało się, że postacie zgubiły trop i poszły w innym kierunku.

Nie wolno było oddychać, żeby nie usłyszeli i nie przyszli zdejmować skalpu. W końcu trzeba było umierać, bo powietrza nie było już wcale a wcale. Nie było już życia na tej ziemi.

Nadajniki iskrowe piszczały i groziły nowym wybuchem. Gdy w ostatniej chwili przed uduszeniem zacząłem oddychać, okazało się, że to nie powietrze, tylko trujący gaz bojowy. Słychać było wybuchy granatów i świst bomb. Armie walczyły o nieprzekraczalną prędkość światła, używając latarek i luster. W głowie był wielki zamęt, bo latarki zaczęły na mnie świecić. Okazało się, że są to lasery, które wypalają w mojej głowie dziurę, żeby odciągać przez nią myśli. Trzeba było naciągnąć kołdrę na głowę i leżeć tak aż do śmierci, która była już blisko, bo powietrza pod kołdrą mało, a na zewnątrz gaz bojowy.

Sytuacja się zacieśniła. W napiętej przestrzeni unosiło się wrażenie śmierci. Wyskoczyłem z łóżka i przybrałem postawę obronną, chroniąc głowę pełną myśli.

Pojawiło się wiele rąk. Dłonie pełzały po ścianach i podłodze, wydając chrzęst jak kraby. Miały atakować i wyrywać myśli.

W pokoju zaczęło się ściemniać. Prędkość światła malała gwałtownie. Energia słońca wyczerpywała się, grożąc wieczną ciemnością i zatrzymaniem procesów wegetacji na Ziemi oraz na

Marsie. Trzeba było ratować ludzkość i roślinność ziemską oraz życie na Marsie. Doskoczyłem do kontaktu, by zapalić światło. Gdy uniosłem rękę do wyłącznika, była tam już jakaś inna, sina dłoń. Krzyknąłem z przerażenia i rzuciłem się na drzwi, pragnąc je wyważyć. Życia dla mnie już nie było.

Nadajniki iskrowe zamilkły w pełnym napięcia oczekiwaniu. Przez cały czas pozostawały pod napięciem gotowe do iskrzenia.

Za oknem dostrzegłem obserwującą mnie w skupieniu twarz bez oczu. Rzuciłem się na ziemię, gotów na śmierć lub tortury. Czułem za sobą obecność sędziów, którzy komentowali nieprzychylnie moje zachowanie, by wydać jak najsurowszy wyrok. Najpierw miano uciąć mi głowę, potem wyrwać serce, a następnie rozstrzelać.

Powietrze drżało od bitewnego zgiełku, ziemią wstrząsały wybuchy i trzęsienia. Miała rozwiązać się wielka tajemnica. Wszystkie sprzęty poustawiały się tak, by dać mi znak, że tajemnica bliska jest wyjaśnienia. Sędziowie zawiesili wykonanie wyroku. Niebo za oknem przeszyła błyskawica. Ziemia połączyła się z niebem dzięki elektryczności. Zrozumiałem, że elektryczność łączy wszystko i jest istotą światła, co sugerowała jasność błyskawicy oraz powiązanie prądu z żarówką. Prąd był przyjacielem i istotą rzeczy w rzeczy samej i samej w sobie. Świat wypełnił się błyskawicami.

Ktoś wszedł do pokoju i zapalił światło. Zerwałem się z podłogi i z radości zacząłem tańczyć. Jakieś postacie zawlokły mnie do łóżka, odwróciły na brzuch i zaszczepiły ogon, co dobrze i boleśnie poczułem. Potem zaczęto obmacywać mi głowę i we właściwym miejscu przytwierdzono rogi. A potem zgasło światło i nastała ciemność. Zostałem diabłem i zacząłem zapadać się do piekła, gdzie było moje miejsce. Gdy spadałem, zewsząd atakowały prądy. Błyskawice trafiały w ręce i nogi, wywołując porażenia i skurcze.

Ocknąłem się w raju. Było kolorowo i ciepło. Kolory krzyczały, że zwyciężyłem. Powiedziano, że mam wstąpić na najwyższy szczyt raju, Olimp. Na Olimpie trwała walka bogów o ogień. Pito wódkę, padały nieprzyzwoite słowa. Chciało mi się pić. Ogień, który płonął na szczycie, kusił i podniecał. Ze szczytu spływały górskie strumienie. Gdy chciałem się napić, okazało się, że woda jest sucha i nie gasi pragnienia. Anioły grały na trąbkach znaną melodię sygnału pogotowia i śpiewały: „Daj mi tę noc...". Nie mogłem iść dalej, bo ucięto mi nogi. Zostały tylko przywiązane i nie było w nich władzy, więc nadjechał świetlisty rydwan ognia i zabrał mnie w daleką podróż kosmiczną. Mijani po drodze dziwaczni mieszkańcy obcych planet nachylali się nade mną i dziwili, skąd wziął się w kosmosie taki brzydki stwór i szeptali między sobą, że trzeba mnie zabić, bo jestem żywym zaprzeczeniem harmonii i piękna wypełniającego kosmos od końca do końca, i dlatego nie ma dla mnie życia w tym kosmosie.

Rydwan zawiózł mnie do sali elektrycznej na egzekucję. Pełno tam było aparatów. Elektryka miała się mną zająć. Wokół stało pełno maszyn do pomiaru woltów i amperów. Ściany były naelektryzowane od mnóstwa poukrywanych nadajników iskrowych, które miały odciągać do centrali zdrowe i dobre myśli, a zaszczepiać złe, chore. Czuło się ciężkie wrażenie psychiczne spowodowane nadmiarem elektryki i złego prądu. Wszystkie metalowe przedmioty znalazły się pod wysokim napięciem. Izolatory też nie były pewne. Po plastiku i szybach pełzały niebieskie strumyczki prądu. Poczułem się zupełnie opuszczony. Nie wiedziałem, gdzie można usiąść, gdzie jest wyjście i gdzie ubikacja. Miałem przepełniony pęcherz, ale bałem się popuścić, bo gdybym się zmoczył, poraziłby mnie straszliwy prąd.

Posmarowano mi skronie płynem nadprzewodzącym. Licznik Geigera zainstalowany na suficie wykazał wzrastającą promieniotwórczość. Następnie osobnicy ubrani w skafandry elektrostatyczne wysłali w kosmos telegram, że za moment umrę rażony prądem. Gwiazdy za oknem rozbłysły kilkakrotnie. Kosmos dawał znaki, że wszyscy mieszkańcy galaktyk są nareszcie szczęśliwi. Nadleciał osobnik z odległej gwiazdy i powiedział, żeby się pospieszyć, bo nie ma już czasu. Zrozumiałem, że na czas mojej egzekucji czas się zatrzymał i że już go nie ma. Dawało to pewną nadzieję, bo jak nie ma czasu, niczego w tym czasie zrobić nie można, bo nie ma kiedy. Rosła nadzieja, choć kosmos był zjednoczony.

Ujrzałem nad sobą zielonego stwora z antenkami na głowie. Miał jedno oko i usta na czole. Nosa nie miał wcale. Odważnie naplułem mu w oko. „Za wolność naszą i waszą!" – krzyknąłem, ale dość słabo, bo siła ze mnie całkiem odeszła, wyssała ją elektryczność.

Kosmita otarł sobie oko zielonymi mackami. Powiedział coś w niezrozumiałym języku. Wiedziałem, że to było po chińsku. Mieli zawieźć mnie do Chin. W Chinach była filia zarządu kosmosu do spraw ziemskich. Tam też zatwierdzono wyrok..

Ze ścian powychodziły nadajniki, żeby lepiej przyjrzeć się egzekucji. Do głowy przyłożono mi elektrody. Żal było umierać, ale nic nie można było zrobić, skoro nie było dla mnie życia w tym kosmosie. Usłyszałem, jak ktoś powiedział: *JUŻ*!

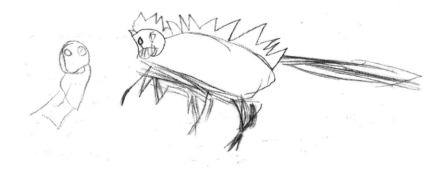

Nazywam. Się. Andrzej. Majer. Mam. Lat. Dwadzieścia. Siedem. Leżę. Na. Białej. Sali. Wygląda. Jak. W. Szpitalu. Pewnie. Jestem. Tu. Z. Jakiegoś. Powodu. Nie. Wiem. Z. Jakiego. Nic. Nie. Boli. Jest. Dobrze. I. Tylko. Myśli. Się. Wolno. Koło. Mnie. Kręci. Się. Jakiś. Człowiek. Jest. Ubrany. Na. Biało. Wygląda. Na. Lekarza. Ale. Może. To. Nie. Doktor. Obok. Kręci. Się. Pielęgniarka. Coś. Mi. Robią. Ale. Nie. Wiadomo. Co. Bo. Robią. Wszystko. Za. Szybko. Mogę. Poruszać. Palcami. Rąk. I. Nóg. Mogę. Mrugać. Oczami. Podchodzą. Do. Mnie. Klepią. Po. Twarzy. O. Coś. Pytają. Ale. Nie. Wiem. O. Co. Bo. Mówią. Za. Szybko. Mrugam. Oczami. Że. Słyszę. Chociaż. Nie. Rozumiem. A. Oni. Pchają. Coś. Na. Czym. Jadę. Pchają. W. Kierunku. Drzwi. Wiozą. Mnie. Korytarzem. Na. Suficie. Świetlówki. Obok. Przechodzą. Ludzie. W. Piżamach. Wjeżdżam. Do. Białego. Pomieszczenia. Na. Suficie. Lampa. Stoją. Trzy. Łóżka. Puste. Łóżka. Kładą. Mnie. Na. Tym. Pod. Oknem. Okrywają. Kołdrą. Poprawiają. Poduszkę. Znów. Coś. Mówią. Ale. Nie. Wiem. Co. Potem. Wychodzą. Obraz. Mi. Się. Zaciera. Przed. Oczami. Chce. Mi. Się. Spać. Tak. Mnie. Zmęczyło. To. Myślenie...

Luka. Była luka. Teraz luki nie ma.

Rozum mam potężny. Jasność wielka. Myślę dobrze. Myśli dużo. Myśli. Myśmy. My. Wy. Śliwy. Myśliwy. Wymyśli...

Siostra wchodzi. Zastrzyk robi. Jest jak jest. Bo tak ma być.

O kosmosie teraz myślę. Że lepiej lepiej niż gorzej. Gwiazdy świecą równo. Wszystko swoim torem. Odpowiednio. Odpowiedzialność. Odpowiedź. Jest jak jest. I taki spokój wielki dokoła i wewnątrz. Spokój wielki i dobry. Ciepło jest. I mokro pode mną. Ale ciepło. I dobrze. Sennie. Andrzej Majer. Lat dwadzieścia siedem. Andrzej Majer. To bardzo ważne, choć nie wiem, dlaczego. A może dlatego, że niczego nie mogę sobie przypomnieć i pamiętam tylko o tym, że jest jakiś tam Andrzej, Andrzej Majer. Ale kto to jest, tego już nie wiem. Coś jakby ja, ale chyba nie do końca, nie czuję żadnego związku...

━━⊏⊐╫

Patrzę w okno, a tam tylko chmury. I czubki drzew z pożółkłymi liśćmi. Jesień. Pora, gdy wszystko zamiera i szykuje się do snu. Pustka. Taka jak we mnie. Bo we mnie, czuję, wstąpiła jesień. Tak dawno temu, że już nawet sam nie wiem kiedy. Czuję się zmęczony, bardzo zmęczony.

Trzy myśli uciekły, bo jakieś trzy punkciki przeszły przez czaszkę, pomknęły w przestrzeń i przebiły ścianę. Coraz puściej w głowie, a tam ciemno, wnętrze ogromnej kuli i z rzadka tylko małe, świecące punkciki, jak robaczki świętojańskie.

Myślenie, jak nie ma czym, jest bardzo trudne. Więc żeby nie myśleć, leżę i patrzę w sufit. A tam też pustka. Jak we mnie. Więc leżę i patrzę, bo tak jest dobrze, pustka spotkała się z pustką. I trwa sprzężenie.

━━⊏⊐╫

Budzę się. Mam wrażenie, jakby poza świadomością przemknęły chyłkiem dwa albo trzy dni, a może cały tydzień. Znów ta luka w czasie... Nie zdarza się już tak często jak kiedyś, ale mimo wszystko muszę ćwiczyć ciągłość czasu. Nie wolno zasypiać. Ale jak nie zasnąć, jak nie zasnąć nie można, bo oczy ciągle się kleją... Jestem zmęczony, choć dopiero się przebudziłem. Nic się nie dzieje ani ze mną, ani wokół mnie. Gdzieś daleko słychać odgłos kroków, ktoś coś mówi, skrzypią drzwi...

W głowie ciągle mam pustkę. Muszę oszczędzać myśli, żeby nic wymyśleć wszystkich do końca. Na razie myśleć nie ma o czym, i dobrze, ale może niedługo stanie się coś takiego, że myślenie będzie potrzebne, więc muszę wtedy mieć kilka myśli w zapasie. A teraz leżę i patrzę w sufit. Trwa sprzężenie.

Obserwuję na suficie powolny upływ czasu. Odliczam równe porcje chwil, żeby przekonać się, czy jest ciągłość i żeby wiedzieć, czy ciągle jeszcze jest ciągła. Ale w końcu mylą mi się rachunki. Jestem taki zmęczony...

Po suficie chodzi duży pająk. Coś wreszcie się dzieje. Ale pająk to tylko pająk. Mnie to nie dotyczy, najwyżej much. Pająk żywi się muchami, myślę i zaraz potem uświadamiam sobie, że marnuję cenne resztki myśli na głupstwa. Żadnego myślenia. Więc obserwuję pająka i staram się robić to bezmyślnie. Tymczasem pająk, znudzony wędrówką, zamarł, a był na wysokości moich oczu, odczekał dobrą chwilę, a potem zaczął powoli spuszczać się na pajęczynie w dół. Spuszczał się i spuszczał, trochę w dół i stop, trochę w dół i stop, aż wreszcie zawisł mi nad samym nosem i spojrzał jakoś tak dziwnie. Jego inteligentne oczka patrzyły na mnie przenikliwie, jakby posiadały wielką tajemnicę. I nagle pająk zaczął szybko podciągać się w górę. Mogłem spróbować wydrzeć mu tę tajemnicę, pomyślałem. Ale pająk był już wysoko, więc byłem zły, że oszczędzając myśli przegapiłem właśnie taką sytuację, gdy myślenie i szybka reakcja mogły rozwiązać tajemnicę życia i śmierci, bo uświadomiłem sobie, czego nie chciał powiedzieć pająk. Pająk oznacza przecież śmierć. Przeraziłem się. Straciłem jedyną okazję, by poznać tajemnicę ostateczną, ale było za późno: pająk mknął już po suficie. Kluczył i co chwilę zmieniał kierunek, by zgubić pościg mojego wzroku. W końcu mu się udało. Szukałem go wszędzie, ale zniknął. Poczułem się zmęczony, bardzo zmęczony...

Do pokoju wchodzi lekarz w okularach. Staje przy łóżku i stara się zajrzeć mi w twarz. Przestaję szukać pająka i patrzę na w okularach. Nasze oczy spotykają się. Trwa sprzężenie: on – ja, ja – on.

No i jak się pan dzisiaj czuje?, mówi.

Dobrze, mówię wolno bo myśli mi się dziś też wolno.

No to dobrze, mówi.

Ale stoi, nie odchodzi. Jest mi to obojętne. W końcu siada na brzegu łóżka.

Martwimy się o pana, mówi.

Nic nie mówię, bo co tu mówić.

Czy pan wie, gdzie pan jest?

Pracuję...

Słucham?

Pracuję... w szpitalu... jestem lekarzem...

Wiem, mówi w okularach, i właśnie dlatego tak trudno... Czy pan odczuwa, że z panem ostatnio jest coś inaczej?

Myśli...

Myśli? Tak? Co „myśli"?

Mało... Dziś mało...

A co to za myśli?... Czy to są myśli dotyczące choroby? Dotyczące pańskiego stanu?

Muszę oszczędzać... pająk... rozwiązać tajemnicę...

No dobrze, mówi w okularach i wstaje, dziś nie chce się panu rozmawiać, tak? No to odłóżmy tę rozmowę do jutra.

Badać... trzeba...

Jak pan będzie czegoś potrzebował, proszę zadzwonić po siostrę.

W okularach wychodzi. Nie chce ze mną rozmawiać. Jestem sam. Całkiem sam. Od dawien dawna. Pustka. Jesień. Myśli mało. Co robić, jak nic zrobić nie można, bo po co? Patrzę w sufit. Tak bardzo nie chce mi się nic robić, że patrzeć też nie mam ochoty. Zamykam oczy i tak leżę, i leżę, i nic. Słońce zgasło na wieki wieków. Amen. Boga nie ma. Czas się zatrzymał. Wszystko się skończyło. Dwie myśli uciekły. Dwa punkciki przeszły przez czaszkę, poszybowały w przestrzeń i przebiły ścianę. Zresztą co mnie to wszystko obchodzi... Powoli, ciężki i pusty, zapadam w sen wieczny, kamienny. I chcę w nim tkwić aż do samego końca, do końca wszechświata...

168

EPILOG

Świta. Który to już świt mam za sobą? Na tej sali i w tym łóżku? Nie pamiętam... Coś się stało z czasem albo z moją pamięcią o jego upływie. Nie pamiętam i nawet przypominać mi się nie chce. Chyba jest jesień. Albo zima. Bo za oknem słychać gwizd wiatru i jakoś tak ciągnie od szyb. Coś się we mnie zacięło. Niepokoi mnie ta nieciągłość czasu, ale nic zrobić przecież nie mogę, więc trwam skupiony w sobie i na sobie. I tak mi smutno...

Lubię wracać w przeszłość, bo przyszłość jest monotonna i jednostajna, każdy następny dzień przypomina poprzedni.

Wspominanie przeszłości ćwiczyłem już wiele razy, aż wreszcie doszedłem do najdoskonalszej, najbogatszej w szczegóły wersji. Co prawda lekarz w okularach i lekarz z brodą wmawiali mi różne niestworzone historie, że niby przedtem było tak i tak, że robiłem to i to, ale jeżeli nawet mogło tak być w istocie, w ogóle tego nie pamiętam. Zresztą jak można im wierzyć, skoro z brodą jest żywym wcieleniem szatana. Kiedyś już pokazał mi swoje prawdziwe oblicze. Wciąż to pamiętam i mam się na baczności. A w okularach kieruje akcją podtruwania. To on dając mi te wszystkie zatrute tabletki i zastrzyki, po których czuję się tak fatalnie. Szkoda, że Zimiński umarł na serce. Kiedy on umarł? Rok temu. A może pięć lat... Czas tutaj nie ma konkretnego wymiaru. Jest okrągły, śliski i ciągliwy. Kiedy Zimiński był jeszcze ordynatorem, bardzo dobrze się mną opiekował. Mogłem spokojnie kręcić się po oddziale jako pacjent i prowadzić bez przeszkód swój eksperyment z poznawaniem psychiki chorych. Bardzo wielu rzeczy się dowiedziałem. Jak tu żyć, kiedy przychodzi fryzjer, kiedy otwierają łazienkę i prowadzą nas pod prysznice, kiedy są zajęcia z panią psycholog, kiedy można pójść na warsztaty i robić ludki z szyszek albo z kasztanów. Próbowałem przedtem szyć takie duże rękawice robocze z niebieskiego płótna, ale to było zbyt męczące i trudno było szyć tak, żeby utrzymać ścieg na linii, którą zaznaczał mi kredą na rękawicy pan instruktor. Najbardziej lubię mycie głowy, robią to pielęgniarki tym, którzy sami nie potrafią. Ja potrafię, ale nie bardzo mi się chce. To tyle wysiłku... Zresztą przyjemniej, jak myje siostra. Teraz już na dobrą sprawę niewiele mi się chce. Kiedyś chciałem zbadać psychikę chorych. Wydawało mi się, że można to zrobić w ciągu paru tygodni, a co najwyżej paru miesięcy, ale okazało się to dużo bardziej skomplikowane niż sądziłem. To wymaga długich, żmudnych badań, jest bardzo męczące i odciąga z człowieka wiele sił. Chorzy też nie ułatwiają zadania. Są apatyczni, zamknięci w sobie, a co najgorsze – w skrytości przechwytują myśli, bo sami mają ich mało jako psychicznie chorzy, więc dobierają sobie od zdrowych, w tym wypadku ode mnie. Jak przebywam w ich towarzystwie, czy to na świetlicy, czy na jakichś zajęciach – od razu mam w głowie pusto, z trudem koncentruję uwagę i nawet mam trudności z mówieniem, bo mówienie polega na głośnym wyrażaniu myśli, a oni, zauważyłem, to najbardziej odciągają te myśli, które są o mówieniu i tak jak z początku milczą, to potem zaczynają dużo mówić, oczywiście moim kosztem. Walczyłem z tym, jak mogłem. Zrobiłem sobie nawet czapkę z gazety. Czapka zawsze trochę chroni, bo na gazecie są wydrukowane słowa; oni odciągają je najpierw i nasycają się tym, co wydrukowane, a wtedy już zostawiają myśli w spokoju, no ale jak jest za dużo chorych, to jedni zdążą odciągnąć wszystko z gazety, a wtedy reszta dobiera się do myśli, toteż tłumu staram się unikać. Ale jakiś miesiąc temu, a może dwa, trudno dokładnie powiedzieć, nie wziąłem czapki i długo, bardzo długo siedziałem na zajęciach plastycznych, bo instruktor nie chciał mnie puścić, aż nie namaluję tego, co miałem namalować. A oni wszyscy poodciągali mi tak dużo myśli, że prawie nic już dla mnie nie zostało i odtąd nie mogę się pozbierać. Nic mi się nie chce, czuję bezmierną pustkę i tym bardziej ogarnia mnie rozpacz, bo pracy mam jeszcze dużo, poznawanie psychiki pacjentów jest niezwykle trudne i czasochłonne, a ja wciąż nie mogę ich zrozumieć...

Przychodzi siostra z zastrzykiem. Mówi, żebym się odwrócił, bo już mogę sam. Więc się odwracam. Siostra robi mi zastrzyk i wychodzi. A ja leżę dalej na brzuchu. Po zastrzyku boli. Ale nie dlatego nie odwracam się z powrotem na wznak. Leżę dalej w bezruchu, bo po co się odwracać? Po co robić cokolwiek, skoro wszystko jest już zrobione, wszystko wynalezione, nawet telewizor, nawet chusteczka do nosa? Jedyne, co ma sens, to przekazać ludzkości, na czym polega prawda o chorobie psychicznej, ale nie mogę pójść znów między chorych i badać ich jak dotąd, bo gdyby teraz którykolwiek odciągnął mi jeszcze trochę myśli, głowę miałbym całkiem pustą i ucięto by mi ją, jako niepotrzebną. A cokolwiek innego bym zrobił, było już kiedyś zrobione. Przeze mnie albo przez innych. Więc leżę i zamiast jak zwykle w sufit – patrzę w poduszkę, bo teraz właśnie poduszkę mam przed oczami. A na poduszce dzieje się jeszcze mniej niż na suficie. Może jednak coś zacznie się dziać?...

Myślę teraz o tym, co będzie. O przyszłości. Jutro przyjdzie następna siostra i zrobi mi następny zastrzyk. Pojutrze też przyjdzie następna siostra i też zrobi zastrzyk. I tak dalej. I tak bez końca. Przez cały czas, niezależnie od tego, czy czas będzie ciągły, czy nie. Wszystko jest z góry ustalone. Każdy ma w tym wszystkim jakąś rolę, ja też, i dlatego tym bardziej nie warto nic robić. Nic przecież zmienić nie mogę. Tak czy owak będzie przychodzić siostra i będzie mi robić zastrzyk, a jeśli będę robił tak, żeby nie zrobiła, to i tak zrobi, tyle że na siłę, przyjdą inni i zrobią ze mną tak, żeby ona zrobiła swoje.

...kroki. Idzie dwóch... nie, trzech... Zawsze myli mi się tętent ich podkutych butów. Są na końcu korytarza, ale już niedługo tu

przyjdą, czuję doskonale. Zbliżają się nieuchronnie. Stanęli. Szepczą. Mówią o mnie. Może znów coś szykują?...

Ostatnio przychodzą do mnie coraz rzadziej, ale wciąż jeszcze przychodzą. Zazwyczaj w nocy. Przychodzą we dwójkę, trój-
kę, a może w czwórkę. Nigdy nie wiem, ilu ich jest. Kiedy wchodzą, cicho zamykając za sobą drzwi, udaję, że śpię. Zaciskam prawą powiekę, a lewą tylko przymykam. Patrzę, czy nie zbliżają się
zanadto, ale oni nie mają odwagi. Chyba wiedzą, że nie śpię. Zaciskam prawą powiekę, a lewą przymykam mocniej, żeby nie byli
tego tacy pewni. A oni szepczą między sobą, że od jutra się za
mnie wezmą. Mówią, że najwyższy czas mnie wykończyć i że nie
ma dla mnie życia na tej ziemi. Zawsze, kiedy ktoś zbyt długo stoi
za drzwiami i szepcze, wiem, że to są właśnie oni, choć teraz jest
dzień a nie noc, a w dzień przecież nie przychodzą.

Wciąż stoją i coś o mnie mówią. Wejdą, czy nie wejdą?

W tej samej chwili otwierają się drzwi i wchodzi jakaś młoda
lekarka, której nie znam. Mimo to oddycham z ulgą. Na pewno
nie ma z nimi nic wspólnego.

W ślad za lekarką wchodzi dwoje studentów, on i ona, chyba
studentów, bo na lekarzy nie wyglądają. Kręcą się ich całe chmary
i tylko przeszkadzają.

Patrzę na nich pytająco.

Dzień dobry, mówi lekarka.

...dobry, mruczę, nie spuszczając z niej wzroku. To ta młoda
doktorantka z obserwacyjnego. Zbiera materiał do jakiejś pracy.

Wszystko, mówi, w porządku?

Tak, mówię.

Czy mógłby mi pan powiedzieć, mówi, co się dzisiaj wydarzyło?

Nic, mówię.

Patrzę na studentów. Ona jest spokojna, a on pochrząkuje,
wierci się i w ogóle sprawia wrażenie, jakby za moment miał

wybuchnąć śmiechem. Spoglądam na niego surowo, a wówczas odwraca wzrok i uspokaja się.

Czy nadal, mówi lekarka, pracuje pan nad poznaniem psychiki pacjentów?

Tak, mówię.

Student zakrztusił się. Jego zachowanie wydało mi się co najmniej podejrzane. Lekarce chyba również, bo skarciła go wzrokiem.

Chciałabym, mówi, porozmawiać z panem przez chwilę.

Dobrze, mówię i już chcę dodać, żeby wyprosiła tego studenta, który dla odmiany zaczął patrzeć w sufit i gryźć wargi, ale powstrzymałem się. Nie wiem, po co właściwie przyprowadziła tych sztubaków, ale widocznie ma w tym jakiś cel. Może pomagają jej zbierać dane, czy coś takiego, zresztą nieważne.

Proszę, mówię i wskazuję jej krzesło.

Dziękuję, mówi.

Kiedyś, mówię do studentów, byłem asystentem profesora Walasa, pewnie go znacie, to autor wielu podręcznik psychiatrii, ale to było dawno... a może nie?... Sam już nie wiem. Czas jest względny. Miałem swój gabinet, palma stała, i w ogóle. A tu nawet krzeseł nie ma. Cóż, niewygoda, ale przyzwyczaiłem się...

Student odwrócił się do ściany i zaczął trząść się ze śmiechu, od czasu do czasu wydając zduszone parsknięcia. Udzieliło się to i studentce, która dotąd opanowana, zaczęła gryźć wargi i ściągać usta. Było to tak zaraźliwe, że zamiast ich zgromić, sam zacząłem się uśmiechać, choć przecież nic śmiesznego w tym co mówiłem nie było.

Przepraszam, mówi lekarka, to ich pierwszy kontakt z oddziałem. Wstaje z krzesła, ujmuje ich pod łokcie i wyprowadza.

Znów zostaję sam...

KONIEC

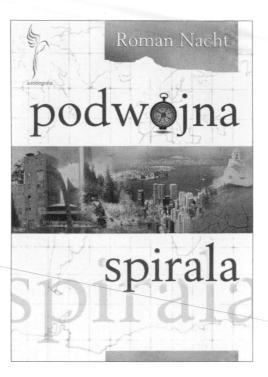

Roman Nacht

autobiografia

podwójna

spirala

Żyjąc wśród ludzi należących do różnych narodowości, poznając ich obyczaje, obserwując ich przyzwyczajenia i tradycje, nauczyłem się patrzeć krytycznie na swoje własne przyzwyczajenia i tradycyjny model myślenia. Napisałem tę książkę dla ludzi, którzy, tak jak ja, cenią sobie nade wszystko wolność – ten podstawowy przywilej dziecka Kosmosu, którym w gruncie rzeczy jest każdy z nas. Wolność nie jest produktem, nie można jej kupić, ani nawet zdobyć. Wolnym można tylko być. Ten sposób bycia jest przez mistyków nazywany niebem. Rezygnacja z wolności to też forma bytu – nazywana piekłem. Medycy użyliby tu takich pojęć jak „zdrowie" i „choroba". Nikt z nas nie może być wolny, a zarazem chory. Żaden człowiek nie może też „pieklić się", a jednocześnie doświadczać w sobie niebiańskiego spokoju, ciszy i miłości – tych wzniosłych uczuć, które wchodzą w skład wolności. Moim mottem stało się przekonanie, że wolnym jest ten człowiek, który rewolucję rozpoczyna w sobie samym, nie w świecie zewnętrznym; który najpierw zmienia siebie, a nie walczy fanatycznie z innymi.

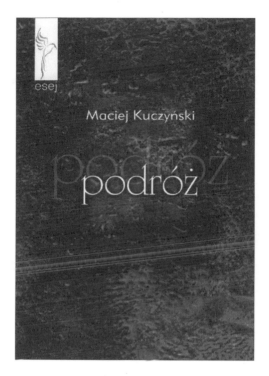

esej

Maciej Kuczyński

podróż

Podróż jest z całą pewnością najbardziej dojrzałą spośród wielu książek Macieja Kuczyńskiego. Jest ona „zamkniętym", a zarazem „otwartym" światem przeżyć, spostrzeżeń, opisów, sądów i analiz. Jest to świat zamknięty, bo ograniczony ilością stron i dwoma okładkami. Lecz jest to także świat otwarty, bo nie sposób czytać jej i nie zadumać się, a tym samym poszerzyć swojego wewnętrznego świata – świata własnych przekonań, odczuć i odkryć.

Po książkę tę chętnie sięgną ci, którzy w jednakowym stopniu kochają treść i formę; którzy cenią sztukę życia i sztukę pisania. Jej autor prowadzi czytelnika nie tylko po jaskiniach i szczytach, dolinach, wyżynach; nie tylko po dżungli, albo po pustyni – śniegowej lub z piasku, lecz także po wyszukanych ścieżkach literackiej polszczyzny, ukazując przeróżne warianty zdobywania szczytu, którym jest wyrażanie tego, co wyrazić trudno. W książce tej jest „wszystko", choć nie po kolei. Można więc w dowolnym miejscu rozpocząć lekturę, gdyż każdy rozdział tej refleksji jest bramą do całego dzieła. Ta *Podróż* jest niezwykła, subtelna, magiczna. Jeśli prawdą jest, że „podróże kształcą", to ta przede wszystkim.

Piotr Rowicki

Przed górami,
przed lasami...

czyli bajki
dla dorosłych

Temu, kto przeczytał bajki Piotra Rowickiego i rozczarował się nimi, Wydawca zwróci stracony czas. I nie jest to żaden chwyt reklamowy, lecz sposób – nawet za taką cenę – wyrażenia przekonania o wartości książki złożonej w ręce Czytelnika. Czy można zwrócić komuś utracony czas? Owszem, ale pod warunkiem, że spełniony zostanie wskazany warunek: rozczarowania tymi opowiadaniami. Nie można ich streścić – są na to zbyt krótkie. Trudno je też opowiedzieć – są bardzo wysublimowane. Nie da się ich spuentować – gdyż każde z nich nie tylko zawiera puentę, lecz samo jest puentą... jakiegoś aspektu życia toczącego się przed górami i lasami (dokładniej: nad Wisłą).

Nie można ich też w żaden sposób sparafrazować – są wyjątkowo oryginalne i niepowtarzalne. Jest jednak coś, co można zrobić i to bez większego trudu: można te bajki przeczytać. Świetna zabawa gwarantowana.